CLASSIQUES & CIE LYCÉE

Molière

Le Misanthrope (1666)

et autres textes
sur l'honnête homme

Texte intégral suivi d'un dossier critique
pour la préparation du bac français

Collection dirigée par
Johan Faerber

Édition annotée et commentée par
Laurence Rauline
agrégée de lettres modernes
docteur en littérature française de l'âge classique

Hatier

Le Misanthrope

Anthologie sur l'honnête homme

© Hatier Paris 2012 - ISBN 978-2-218-95929-5

LE MISANTHROPE

Comédie
Par J.-B. P. MOLIÈRE

Représentée pour la première fois à Paris,
sur le Théâtre du Palais-Royal,
le 4 du mois de juin 1666
par la Troupe du Roi.

Le Misanthrope[1]

Comédie

ACTEURS

ALCESTE, *amant[2] de Célimène.*

PHILINTE, *ami d'Alceste.*

ORONTE, *amant de Célimène.*

CÉLIMÈNE, *amante d'Alceste.*

ÉLIANTE, *cousine de Célimène.*

ARSINOÉ, *amie de Célimène.*

ACASTE
CLITANDRE } *marquis.*

BASQUE[3], *valet de Célimène.*

UN GARDE *de la maréchaussée[4] de France.*

DU BOIS, *valet d'Alceste.*

La scène est à Paris, dans la maison de Célimène.

---

1. Misanthrope : personne qui n'aime pas le genre humain et qui fuit la compagnie des hommes.

2. Amant : qui aime et qui est aimé.

3. Le personnage est appelé, comme c'est l'habitude pour un valet, du nom de sa province d'origine.

4. Maréchaussée : corps aujourd'hui remplacé par la gendarmerie.

Acte premier

Scène première

PHILINTE

Qu'est-ce donc ? Qu'avez-vous ?

ALCESTE, *assis.*

Laissez-moi, je vous prie.

PHILINTE

Mais encor dites-moi quelle bizarrerie[1]...

ALCESTE

Laissez-moi là, vous dis-je, et courez vous cacher.

PHILINTE

Mais on entend les gens, au moins, sans se fâcher.

ALCESTE

Moi, je veux me fâcher, et ne veux point entendre.

PHILINTE

Dans vos brusques chagrins[2] je ne puis vous comprendre,
Et quoique amis enfin, je suis tout des premiers[3]...

---

1. **Bizarrerie** : extravagance, folie.
2. **Chagrins** : mauvaise humeur, contrariété (au sens fort).
3. **Tout des premiers** : des tout premiers, parmi ceux qui ont votre préférence.

ALCESTE, *se levant brusquement*

Moi, votre ami ? Rayez cela de vos papiers.

J'ai fait jusques ici[1] profession de l'être ;

10 Mais après ce qu'en vous je viens de voir paraître,

Je vous déclare net que je ne le suis plus,

Et ne veux nulle place en des cœurs corrompus.

PHILINTE

Je suis donc bien coupable, Alceste, à votre compte ?

ALCESTE

Allez, vous devriez mourir de pure honte ;

15 Une telle action ne saurait s'excuser[2],

Et tout homme d'honneur s'en doit scandaliser.

Je vous vois accabler un homme de caresses[3],

Et témoigner pour lui les dernières tendresses[4] ;

De protestations[5], d'offres et de serments,

20 Vous chargez la fureur[6] de vos embrassements[7] ;

Et quand je vous demande après quel est cet homme,

À peine pouvez-vous dire comme il se nomme ;

Votre chaleur pour lui tombe en vous séparant,

Et vous me le traitez, à moi, d'indifférent.

25 Morbleu[8] ! c'est une chose indigne, lâche, infâme,

De s'abaisser ainsi jusqu'à trahir son âme ;

---

1. Jusques ici : jusqu'à maintenant.

2. S'excuser : être excusée.

3. Caresses : marques de sympathie.

4. Les dernières tendresses : les manifestations d'affection les plus vives.

5. Protestations : témoignages de sympathie.

6. Fureur : enthousiasme.

7. Embrassements : embrassades, accolades.

8. Morbleu : juron, atténuation de « mort de Dieu ».

Et si, par un malheur, j'en avais fait autant,
Je m'irais, de regret, pendre tout à l'instant.

PHILINTE

Je ne vois pas, pour moi, que le cas soit pendable[1],
30 Et je vous supplierai d'avoir pour agréable
Que je me fasse un peu grâce[2] sur votre arrêt[3],
Et ne me pende pas pour cela, s'il vous plaît.

ALCESTE

Que la plaisanterie est de mauvaise grâce !

PHILINTE

Mais, sérieusement, que voulez-vous qu'on fasse ?

ALCESTE

35 Je veux qu'on soit sincère, et qu'en homme d'honneur,
On ne lâche aucun mot qui ne parte du cœur.

PHILINTE

Lorsqu'un homme vous vient embrasser avec joie,
Il faut bien le payer de la même monnoie[4],
Répondre, comme on peut, à ses empressements,
40 Et rendre offre pour offre, et serments pour serments.

ALCESTE

Non, je ne puis souffrir cette lâche méthode
Qu'affectent la plupart de vos gens à la mode ;
Et je ne hais rien tant que les contorsions

---

1. **Que le cas soit pendable** : que le cas mérite que l'on se pende.
2. **Que je me fasse un peu grâce** : que j'épargne ma vie, que je n'aille pas me pendre (en contexte).
3. **Arrêt** : jugement.
4. **De la même monnoie** : de la même monnaie, de la même façon. Philinte veut répondre aux « embrassements » par des « embrassements ».

De tous ces grands faiseurs de protestations[1],

45   Ces affables[2] donneurs d'embrassades frivoles[3],

Ces obligeants diseurs d'inutiles paroles,

Qui de civilités[4] avec tous font combat[5],

Et traitent du même air l'honnête homme[6] et le fat[7].

Quel avantage a-t-on qu'un homme vous caresse[8],

50   Vous jure amitié, foi, zèle, estime, tendresse,

Et vous fasse de vous un éloge éclatant,

Lorsqu'au premier faquin[9] il court en faire autant ?

Non, non, il n'est point d'âme un peu bien située[10]

Qui veuille d'une estime ainsi prostituée ;

55   Et la plus glorieuse[11] a des régals peu chers[12],

Dès qu'on voit qu'on nous mêle avec tout l'univers :

Sur quelque préférence une estime se fonde,

Et c'est n'estimer rien qu'estimer tout le monde.

Puisque vous y donnez, dans ces vices du temps,

60   Morbleu[13] ! vous n'êtes pas pour être de mes gens ;

---

1. **Grands faiseurs de protestations** : ceux qui multiplient les paroles de sympathie.
2. **Affables** : aimables, sympathiques.
3. **Frivoles** : légères, peu sérieuses.
4. **Civilités** : politesses.
5. **Font combat** : rivalisent.
6. **Honnête homme** : homme du monde, dont la courtoisie et l'esprit font apprécier la compagnie.
7. **Fat** : homme prétentieux et sot.
8. **Caresse** : tienne d'aimables propos.
9. **Faquin** : individu sot, sans intérêt.
10. **Âme un peu bien située** : âme digne et respectable.
11. **Glorieuse** : soucieuse de son honneur.
12. **Régals peu chers** : plaisirs médiocres.
13. **Morbleu** : voir note 8 p. 8.

Je refuse d'un cœur la vaste complaisance
Qui ne fait de mérite aucune différence;
Je veux qu'on me distingue; et pour le trancher net[1],
L'ami du genre humain n'est point du tout mon fait.

PHILINTE

65 Mais quand on est du monde[2], il faut bien que l'on rende
Quelques dehors civils[3] que l'usage demande.

ALCESTE

Non, vous dis-je, on devrait châtier, sans pitié,
Ce commerce[4] honteux de semblants d'amitié.
Je veux que l'on soit homme, et qu'en toute rencontre
70 Le fond de notre cœur dans nos discours se montre,
Que ce soit lui qui parle, et que nos sentiments
Ne se masquent jamais sous de vains compliments.

PHILINTE

Il est bien des endroits où la pleine franchise
Deviendrait ridicule et serait peu permise;
75 Et parfois, n'en déplaise à votre austère honneur,
Il est bon de cacher ce qu'on a dans le cœur.
Serait-il à propos et de la bienséance[5]
De dire à mille gens tout ce que d'eux on pense?
Et quand on a quelqu'un qu'on hait ou qui déplaît,
80 Lui doit-on déclarer la chose comme elle est?

---

1. **Trancher net:** dire clairement et conclure.
2. **Du monde:** de l'aristocratie.
3. **Dehors civils:** signes extérieurs de la politesse.
4. **Commerce:** échange, relation.
5. **De la bienséance:** conforme aux convenances, poli.

ALCESTE

Oui.

PHILINTE

Quoi ? vous iriez dire à la vieille Émilie
Qu'à son âge il sied[1] mal de faire la jolie,
Et que le blanc[2] qu'elle a scandalise chacun ?

ALCESTE

Sans doute[3].

PHILINTE

À Dorilas, qu'il est trop importun[4],
85 Et qu'il n'est, à la cour, oreille qu'il ne lasse
À conter sa bravoure et l'éclat de sa race[5] ?

ALCESTE

Fort bien.

PHILINTE

Vous vous moquez.

ALCESTE

Je ne me moque point.
Et je vais n'épargner personne sur ce point.
Mes yeux sont trop blessés, et la cour et la ville
90 Ne m'offrent rien qu'objets à m'échauffer la bile[6] :
J'entre en une humeur noire, et un chagrin[7] profond,

---

1. Sied : convient.
2. Blanc : maquillage, fard.
3. Sans doute : sans aucun doute, c'est certain.
4. Importun : fâcheux, déplaisant.
5. Race : famille.
6. M'échauffer la bile : me mettre en colère. La bile est l'une des quatre humeurs du corps humain : le sang, le flegme, la bile et la bile noire.
7. Chagrin : affliction, humeur inquiète ou tourmentée.

Quand je vois vivre entre eux les hommes comme ils font ;
Je ne trouve partout que lâche flatterie,
Qu'injustice, intérêt, trahison, fourberie ;
95 Je n'y puis plus tenir, j'enrage, et mon dessein
Est de rompre en visière[1] à tout le genre humain.

PHILINTE

Ce chagrin philosophe[2] est un peu trop sauvage[3],
Je ris des noirs accès où je vous envisage,
Et crois voir en nous deux, sous mêmes soins nourris,
100 Ces deux frères que peint *L'École des maris*[4],
Dont...

ALCESTE

Mon Dieu ! laissons là vos comparaisons fades.

PHILINTE

Non : tout de bon, quittez toutes ces incartades.
Le monde par vos soins ne se changera pas ;
Et puisque la franchise a pour vous tant d'appas[5],
105 Je vous dirai tout franc[6] que cette maladie,
Partout où vous allez, donne la comédie[7],
Et qu'un si grand courroux[8] contre les mœurs du temps
Vous tourne en ridicule auprès de bien des gens.

1. **Rompre en visière** : attaquer de face, contredire.
2. **Ce chagrin philosophe** : ce chagrin de philosophe, ce chagrin qui se justifie par des paroles de sagesse.
3. **Sauvage** : rude, incompatible avec la vie en société.
4. ***L'École des maris*** : comédie de Molière (1661), qui oppose Ariste et Sganarelle, deux frères aux humeurs opposées.
5. **Appas** : charme, séduction.
6. **Tout franc** : franchement.
7. **Donne la comédie** : inspire le rire.
8. **Courroux** : colère.

ALCESTE

Tant mieux, morbleu[1] ! tant mieux, c'est ce que je demande,
110 Ce m'est un fort bon signe, et ma joie en est grande :
Tous les hommes me sont à tel point odieux,
Que je serais fâché d'être sage à leurs yeux.

PHILINTE

Vous voulez un grand mal à la nature humaine !

ALCESTE

Oui, j'ai conçu pour elle une effroyable haine.

PHILINTE

115 Tous les pauvres mortels, sans nulle exception,
Seront enveloppés dans cette aversion[2] ?
Encore en est-il bien, dans le siècle où nous sommes…

ALCESTE

Non : elle est générale, et je hais tous les hommes :
Les uns, parce qu'ils sont méchants et malfaisants,
120 Et les autres, pour être[3] aux méchants complaisants,
Et n'avoir pas pour eux ces haines vigoureuses
Que doit donner le vice aux âmes vertueuses.
De cette complaisance on voit l'injuste excès
Pour le franc[4] scélérat avec qui j'ai procès :
125 Au travers de son masque on voit à plein le traître ;
Partout il est connu pour tout ce qu'il peut être ;
Et ses roulements d'yeux et son ton radouci

---

1. **Morbleu** : voir note 8 p. 8.
2. **Aversion** : dégoût, haine.
3. **Pour être** : parce qu'ils sont.
4. **Franc** : véritable, parfait.

N'imposent[1] qu'à des gens qui ne sont point d'ici.
On sait que ce pied-plat[2], digne qu'on le confonde[3],
130 Par de sales emplois s'est poussé dans le monde[4],
Et que par eux son sort de splendeur revêtu
Fait gronder le mérite et rougir la vertu.
Quelques titres honteux qu'en tous lieux on lui donne,
Son misérable honneur ne voit pour lui personne ;
135 Nommez-le fourbe, infâme, et scélérat maudit,
Tout le monde en convient, et nul n'y contredit.
Cependant sa grimace[5] est partout bienvenue :
On l'accueille, on lui rit[6], partout il s'insinue ;
Et s'il est, par la brigue[7], un rang à disputer,
140 Sur le plus honnête homme on le voit l'emporter.
Têtebleu[8] ! ce me sont de mortelles blessures,
De voir qu'avec le vice on garde des mesures[9] ;
Et parfois il me prend des mouvements soudains
De fuir dans un désert[10] l'approche des humains.

PHILINTE

145 Mon Dieu, des mœurs du temps mettons-nous moins en peine,
Et faisons un peu grâce à la nature humaine[11] ;

---

1. **N'imposent** : ne trompent.
2. **Pied-plat** : paysan (qui ne porte pas de talon haut).
3. **Confonde** : démasque.
4. **S'est poussé dans le monde** : a progressé dans la société, a servi son ambition.
5. **Grimace** : masque, apparence trompeuse.
6. **On lui rit** : on lui sourit.
7. **Brigue** : manigances, intrigues.
8. **Têtebleu** : juron, atténuation de « tête de Dieu ».
9. **On garde des mesures** : on fait des concessions, on ne se montre pas intransigeant.
10. **Désert** : lieu éloigné de la ville, lieu où l'on peut être seul.
11. **Faisons un peu grâce à la nature humaine** : soyons un peu indulgents à l'égard des hommes.

Ne l'examinons point dans la grande rigueur,
Et voyons ses défauts avec quelque douceur.
Il faut, parmi le monde, une vertu traitable[1] ;
150 À force de sagesse, on peut être blâmable ;
La parfaite raison fuit toute extrémité,
Et veut que l'on soit sage avec sobriété.
Cette grande roideur[2] des vertus des vieux âges[3]
Heurte trop notre siècle[4] et les communs usages ;
155 Elle veut aux mortels trop de perfection :
Il faut fléchir au temps[5] sans obstination ;
Et c'est une folie à nulle autre seconde[6]
De vouloir se mêler de corriger le monde.
J'observe, comme vous, cent choses tous les jours,
160 Qui pourraient mieux aller, prenant un autre cours ;
Mais quoi qu'à chaque pas je puisse voir paraître,
En courroux[7], comme vous, on ne me voit point être ;
Je prends tout doucement les hommes comme ils sont
J'accoutume mon âme à souffrir[8] ce qu'ils font ;
165 Et je crois qu'à la cour, de même qu'à la ville,
Mon flegme[9] est philosophe autant que votre bile.

---

1. **Traitable** : conciliante.
2. **Roideur** : raideur, intransigeance.
3. **Vieux âges** : temps anciens.
4. **Siècle** : époque.
5. **Fléchir au temps** : s'adapter à l'époque.
6. **Une folie à nulle autre seconde** : une folie incomparable, une extrême folie.
7. **Courroux** : colère.
8. **Souffrir** : supporter, tolérer.
9. **Flegme** : patience. Le flegme est l'une des quatre humeurs du corps (voir note 6 p. 12).

ALCESTE

Mais ce flegme, Monsieur, qui raisonne si bien,
Ce flegme pourra-t-il ne s'échauffer de rien ?
Et s'il faut, par hasard, qu'un ami vous trahisse,
170 Que, pour avoir vos biens, on dresse un artifice[1],
Ou qu'on tâche à[2] semer de méchants bruits de vous[3],
Verrez-vous tout cela sans vous mettre en courroux ?

PHILINTE

Oui, je vois ces défauts dont votre âme murmure
Comme vices unis à l'humaine nature ;
175 Et mon esprit enfin n'est pas plus offensé
De voir un homme fourbe, injuste, intéressé,
Que de voir des vautours affamés de carnage,
Des singes malfaisants, et des loups pleins de rage.

ALCESTE

Je me verrai trahir, mettre en pièces, voler
180 Sans que je sois… Morbleu[4] ! je ne veux point parler
Tant ce raisonnement est plein d'impertinence[5].

PHILINTE

Ma foi ! vous ferez bien de garder le silence.
Contre votre partie[6] éclatez un peu moins[7],
Et donnez au procès une part de vos soins.

---

1. **Artifice** : ruse, manœuvre mensongère.

2. **Tâche à** : forme vieillie de « tâche de ».

3. **Qu'on tâche à semer de méchants bruits de vous** : qu'on s'efforce de ternir votre réputation, de faire courir sur vous des rumeurs infondées.

4. **Morbleu** : juron, atténuation de « mort de Dieu ».

5. **Impertinence** : ce qui n'est pas pertinent, incohérence, absurdité.

6. **Partie** : adversaire dans un procès.

7. **Éclatez un peu moins** : gardez davantage votre calme, énervez-vous moins.

ALCESTE

185 Je n'en donnerai point, c'est une chose dite.

PHILINTE

Mais qui voulez-vous donc qui pour vous sollicite[1] ?

ALCESTE

Qui je veux ? La raison, mon bon droit, l'équité.

PHILINTE

Aucun juge par vous ne sera visité ?

ALCESTE

Non. Est-ce que ma cause est injuste ou douteuse ?

PHILINTE

190 J'en demeure d'accord ; mais la brigue est fâcheuse[2],
Et…

ALCESTE

Non ; j'ai résolu de n'en pas faire un pas.
J'ai tort, ou j'ai raison.

PHILINTE

Ne vous y fiez pas.

ALCESTE

Je ne remuerai point.

PHILINTE

Votre partie est forte,
Et peut, par sa cabale[3], entraîner…

---

1. Qui pour vous sollicite : qui tente d'infléchir la décision des juges en votre faveur.

2. La brigue est fâcheuse : la manœuvre contre vous est embarrassante.

3. Cabale : intrigue, manœuvre.

ALCESTE

Il n'importe[1].

PHILINTE

195 Vous vous tromperez.

ALCESTE

Soit. J'en veux voir le succès[2].

PHILINTE

Mais…

ALCESTE

J'aurai le plaisir de perdre mon procès.

PHILINTE

Mais enfin…

ALCESTE

Je verrai, dans cette plaiderie[3],
Si les hommes auront assez d'effronterie,
Seront assez méchants, scélérats et pervers,
200 Pour me faire injustice aux yeux de l'univers.

PHILINTE

Quel homme !

ALCESTE

Je voudrais, m'en coûtât-il grand-chose[4]
Pour la beauté du fait avoir perdu ma cause.

---

1. Il n'importe : peu importe.
2. Succès : issue, positive ou négative.
3. Plaiderie : procès (sens péjoratif).
4. M'en coûtât-il grand-chose : même si je devais le payer cher.

PHILINTE

On se rirait de vous, Alceste, tout de bon[1],
Si l'on vous entendait parler de la façon.

ALCESTE

205 Tant pis pour qui rirait.

PHILINTE

Mais cette rectitude[2]
Que vous voulez en tout avec exactitude,
Cette pleine droiture, où vous vous renfermez,
La trouvez-vous ici dans ce que vous aimez?
Je m'étonne, pour moi, qu'étant, comme il le semble,
210 Vous et le genre humain si fort brouillés ensemble,
Malgré tout ce qui peut vous le rendre odieux,
Vous ayez pris chez lui ce qui charme vos yeux;
Et ce qui me surprend encore davantage,
C'est cet étrange choix où votre cœur s'engage.
215 La sincère Éliante a du penchant pour vous,
La prude[3] Arsinoé vous voit d'un œil fort doux:
Cependant à leurs vœux[4] votre âme se refuse,
Tandis qu'en ses liens Célimène l'amuse[5],
De qui l'humeur coquette et l'esprit médisant
220 Semble si fort donner dans les mœurs d'à présent.
D'où vient que, leur portant une haine mortelle,
Vous pouvez bien souffrir[6] ce qu'en tient cette belle?

---

1. **Tout de bon**: sérieusement.
2. **Rectitude**: droiture.
3. **Prude**: sage, vertueuse.
4. **Vœux**: désirs
5. **L'amuse**: lui donne un faux espoir.
6. **Souffrir**: tolérer.

Ne sont-ce plus défauts dans un objet[1] si doux ?
Ne les voyez-vous pas ? ou les excusez-vous ?

ALCESTE

225 Non, l'amour que je sens pour cette jeune veuve
Ne ferme point mes yeux aux défauts qu'on lui treuve[2],
Et je suis, quelque ardeur qu'elle m'ait pu donner,
Le premier à les voir, comme à les condamner.
Mais, avec tout cela, quoi que je puisse faire,
230 Je confesse mon faible[3], elle a l'art de me plaire :
J'ai beau voir ses défauts, et j'ai beau l'en blâmer,
En dépit qu'on en ait[4], elle se fait aimer ;
Sa grâce est la plus forte ; et sans doute[5] ma flamme[6]
De ces vices du temps pourra purger son âme.

PHILINTE

235 Si vous faites cela, vous ne ferez pas peu.
Vous croyez être donc aimé d'elle ?

ALCESTE

                        Oui, parbleu[7] !
Je ne l'aimerais pas, si je ne croyais l'être.

PHILINTE

Mais si son amitié[8] pour vous se fait paraître,
D'où vient que vos rivaux vous causent de l'ennui[9] ?

---

1. **Objet** : objet d'amour (référence à Célimène).
2. **Treuve** : trouve (forme archaïque).
3. **Mon faible** : ma faiblesse.
4. **En dépit qu'on en ait** : même si on ne le veut pas, malgré soi.
5. **Sans doute** : sans aucun doute.
6. **Flamme** : amour.
7. **Parbleu** : juron, atténuation de « Par Dieu ».
8. **Amitié** : amour.
9. **Ennui** : contrariété, tourment.

ALCESTE

240 C'est qu'un cœur bien atteint[1] veut qu'on soit tout à lui,
Et je ne viens ici qu'à dessein de lui dire
Tout ce que là-dessus ma passion m'inspire.

PHILINTE

Pour moi, si je n'avais qu'à former des désirs,
La cousine Éliante aurait tous mes soupirs ;
245 Son cœur, qui vous estime, est solide et sincère,
Et ce choix plus conforme[2] était[3] mieux votre affaire.

ALCESTE

Il est vrai : ma raison me le dit chaque jour ;
Mais la raison n'est pas ce qui règle l'amour.

PHILINTE

Je crains fort pour vos feux[4] ; et l'espoir où vous êtes
250 Pourrait…

Scène 2

ORONTE, ALCESTE, PHILINTE

ORONTE, *à Alceste.*

J'ai su là-bas[5] que, pour quelques emplettes[6],
Éliante est sortie, et Célimène aussi ;

---

1. Atteint : amoureux (en contexte).

2. Conforme : adapté, sous-entendu « à votre tempérament ».

3. Était : aurait été.

4. Feux : sentiments amoureux.

5. Là-bas : au rez-de-chaussée de la maison de Célimène.

6. Emplettes : achats.

Mais comme l'on m'a dit que vous étiez ici,
J'ai monté pour vous dire, et d'un cœur véritable[1],
Que j'ai conçu pour vous une estime incroyable,
255   Et que, depuis longtemps, cette estime m'a mis
Dans un ardent désir d'être de vos amis.
Oui, mon cœur au mérite aime à rendre justice,
Et je brûle qu'un nœud d'amitié nous unisse :
Je crois qu'un ami chaud[2], et de ma qualité[3],
260   N'est pas assurément pour être rejeté.
C'est à vous, s'il vous plaît, que ce discours s'adresse.

En cet endroit Alceste paraît tout rêveur,
et semble n'entendre pas qu'Oronte lui parle.

ALCESTE

À moi, Monsieur ?

ORONTE

À vous. Trouvez-vous qu'il vous blesse ?

ALCESTE

Non pas ; mais la surprise est fort grande pour moi,
Et je n'attendais pas l'honneur que je reçois.

ORONTE

265   L'estime où je vous tiens ne doit point vous surprendre,
Et de tout l'univers vous la pouvez prétendre[4].

ALCESTE

Monsieur…

---

1. **Véritable** : sincère.
2. **Chaud** : chaleureux.
3. **Qualité** : mérite lié à la noble naissance.
4. **Vous la pouvez prétendre** : vous pouvez y prétendre.

ORONTE

L'État n'a rien qui ne soit au-dessous
Du mérite éclatant que l'on découvre en vous.

ALCESTE

Monsieur...

ORONTE

Oui, de ma part[1], je vous tiens préférable,
270   À tout ce que j'y vois de plus considérable.

ALCESTE

Monsieur...

ORONTE

Sois-je du ciel écrasé, si je mens !
Et, pour vous confirmer ici mes sentiments,
Souffrez qu'à cœur ouvert, Monsieur, je vous embrasse,
Et qu'en votre amitié je vous demande place.
275   Touchez là[2], s'il vous plaît. Vous me la promettez,
Votre amitié ?

ALCESTE

Monsieur...

ORONTE

Quoi ? vous y résistez ?

ALCESTE

Monsieur, c'est trop d'honneur que vous me voulez faire ;
Mais l'amitié demande un peu plus de mystère,
Et c'est assurément en profaner[3] le nom

---

1. De ma part : pour ma part.
2. Touchez là : tapez-moi dans la main, en signe d'amitié.
3. Profaner : ne pas respecter, en particulier une valeur ou un objet sacré, dégrader.

280 Que de vouloir le mettre à toute occasion.
Avec lumière et choix cette union veut naître ;
Avant que[1] nous lier, il faut nous mieux connaître ;
Et nous pourrions avoir telles complexions[2],
Que tous deux du marché nous nous repentirions.

ORONTE

285 Parbleu[3] ! c'est là-dessus parler en homme sage,
Et je vous en estime encore davantage :
Souffrons[4] donc que le temps forme des nœuds[5] si doux
Mais, cependant[6], je m'offre entièrement à vous ;
S'il faut faire à la cour pour vous quelque ouverture[7],
290 On sait qu'auprès du Roi je fais quelque figure[8] ;
Il m'écoute ; et dans tout, il en use, ma foi !
Le plus honnêtement du monde avecque[9] moi.
Enfin je suis à vous de toutes les manières ;
Et comme votre esprit a de grandes lumières,
295 Je viens, pour commencer entre nous ce beau nœud,
Vous montrer un sonnet que j'ai fait depuis peu,
Et savoir s'il est bon qu'au public je l'expose.

ALCESTE

Monsieur, je suis mal propre[10] à décider la chose ;
Veuillez m'en dispenser.

1. **Avant que** : avant de.
2. **Complexions** : caractères, humeurs.
3. **Parbleu** : voir note 7 p. 21.
4. **Souffrons** : tolérons.
5. **Nœuds** : liens.
6. **Cependant** : pendant ce temps.
7. **Ouverture** : démarche pour vous y introduire.
8. **Je fais quelque figure** : je fais bonne figure, je suis bien considéré.
9. **Avecque** : avec.
10. **Mal propre** : peu compétent, mal placé.

ORONTE

Pourquoi ?

ALCESTE

J'ai le défaut

300 D'être un peu plus sincère en cela qu'il ne faut.

ORONTE

C'est ce que je demande, et j'aurais lieu de plainte[1]
Si, m'exposant à vous pour me parler sans feinte,
Vous alliez me trahir, et me déguiser rien[2].

ALCESTE

Puisqu'il vous plaît ainsi, Monsieur, je le veux bien.

ORONTE

305 *Sonnet…* C'est un sonnet. *L'espoir…* C'est une dame
Qui de quelque espérance avait flatté ma flamme.
L'espoir… Ce ne sont point de ces grands vers pompeux[3],
Mais de petits vers doux, tendres et langoureux.

            À toutes ces interruptions il regarde Alceste.

ALCESTE

Nous verrons bien.

ORONTE

L'espoir… Je ne sais si le style

310 Pourra vous en paraître assez net et facile,
Et si du choix des mots vous vous contenterez.

ALCESTE

Nous allons voir, Monsieur.

---

1. **J'aurais lieu de plainte** : j'aurais des raisons de me plaindre.
2. **Me déguiser rien** : me cacher quelque chose.
3. **Pompeux** : solennels, grandiloquents.

ORONTE

Au reste, vous saurez
Que je n'ai demeuré qu'un quart d'heure à le faire.

ALCESTE

Voyons, Monsieur ; le temps ne fait rien à l'affaire.

ORONTE, *lit.*

315   *L'espoir, il est vrai, nous soulage,*
    Et nous berce un temps notre ennui ;
    Mais, Philis[1], le triste avantage,
    Lorsque rien ne marche après lui !

PHILINTE

Je suis déjà charmé de ce petit morceau.

ALCESTE, *bas, à Philinte.*

320   Quoi ? vous avez le front[2] de trouver cela beau ?

ORONTE

    Vous eûtes de la complaisance ;
    Mais vous en deviez moins avoir,
    Et ne vous pas mettre en dépense
    Pour ne me donner que l'espoir.

PHILINTE

325   Ah ! qu'en termes galants ces choses-là sont mises !

ALCESTE, *bas, à Philinte.*

Morbleu[3] ! vil complaisant, vous louez des sottises ?

---

1. **Philis** : prénom galant de convention.
2. **Front** : audace.
3. **Morbleu** : juron, atténuation de « mort de Dieu ».

ORONTE

S'il faut qu'une attente éternelle
Pousse à bout l'ardeur de mon zèle[1],
Le trépas[2] sera mon recours.

330 *Vos soins ne m'en peuvent distraire[3] :*
Belle Philis, on désespère,
Alors qu'on espère toujours.

PHILINTE

La chute[4] en est jolie, amoureuse, admirable.

ALCESTE, *bas, à part.*

La peste de ta chute ! Empoisonneur au diable[5],
335 En eusses-tu fait une à te casser le nez !

PHILINTE

Je n'ai jamais ouï de vers si bien tournés[6].

ALCESTE, *bas, à part.*

Morbleu[7] !...

ORONTE, *à Philinte.*

Vous me flattez, et vous croyez peut-être...

PHILINTE

Non, je ne flatte point.

---

1. **Zèle** : amour.
2. **Trépas** : mort.
3. **Distraire** : détourner.
4. **Chute** : conclusion, marquée par un trait d'esprit ou une figure frappante.
5. **Empoisonneur au diable** : empoisonneur digne d'être envoyé au diable.
6. **Tournés** : composés, écrits.
7. **Morbleu** : voir note 3 p. 27.

ALCESTE, *bas, à part.*

Et que fais-tu donc, traître ?

ORONTE

Mais, pour vous, vous savez quel est notre traité :
340   Parlez-moi, je vous prie, avec sincérité.

ALCESTE

Monsieur, cette matière est toujours délicate,
Et sur le bel esprit nous aimons qu'on nous flatte[1].
Mais un jour, à quelqu'un, dont je tairai le nom,
Je disais, en voyant des vers de sa façon,
345   Qu'il faut qu'un galant homme ait toujours grand empire[2]
Sur les démangeaisons[3] qui nous prennent d'écrire ;
Qu'il doit tenir la bride[4] aux grands empressements
Qu'on a de faire éclat de tels amusements ;
Et que, par la chaleur de montrer ses ouvrages,
350   On s'expose à jouer de mauvais personnages[5].

ORONTE

Est-ce que vous voulez me déclarer par-là
Que j'ai tort de vouloir… ?

ALCESTE

Je ne dis pas cela.

Mais je lui disais, moi, qu'un froid écrit assomme,

---

1. Sur le bel esprit nous aimons qu'on nous flatte : nous aimons recevoir des compliments sur notre bel esprit.

2. Empire : pouvoir, maîtrise.

3. Démangeaisons : envies.

4. Tenir la bride : réfréner.

5. On s'expose à jouer de mauvais personnages : on court le risque de passer pour quelqu'un de ridicule.

Qu'il ne faut que ce faible à décrier un homme[1],

355 Et qu'eût-on[2], d'autre part, cent belles qualités,

On regarde les gens par leurs méchants côtés.

ORONTE

Est-ce qu'à mon sonnet vous trouvez à redire ?

ALCESTE

Je ne dis pas cela ; mais, pour ne point écrire[3],

Je lui mettais aux yeux comme, dans notre temps,

360 Cette soif a gâté[4] de fort honnêtes gens.

ORONTE

Est-ce que j'écris mal ? et leur ressemblerais-je ?

ALCESTE

Je ne dis pas cela ; mais enfin, lui disais-je,

Quel besoin si pressant avez-vous de rimer ?

Et qui diantre[5] vous pousse à vous faire imprimer ?

365 Si l'on peut pardonner l'essor[6] d'un mauvais livre,

Ce n'est qu'aux malheureux qui composent pour vivre.

Croyez-moi, résistez à vos tentations,

Dérobez au public ces occupations ;

Et n'allez point quitter, de quoi que l'on vous somme[7],

370 Le nom que dans la cour vous avez d'honnête homme,

Pour prendre, de la main d'un avide imprimeur,

---

1. Il ne faut que ce faible à décrier un homme : cette faiblesse suffit pour que l'on se moque d'un homme.

2. Eût-on : même si on avait.

3. Pour ne point écrire : pour qu'il n'écrive pas.

4. Gâté : corrompu.

5. Diantre : diable.

6. Essor : publication.

7. De quoi que l'on vous somme : même si on vous le demande.

Celui de ridicule et misérable auteur.
C'est ce que je tâchai de lui faire comprendre.

ORONTE

Voilà qui va fort bien, et je crois vous entendre[1].
375 Mais ne puis-je savoir ce que dans mon sonnet… ?

ALCESTE

Franchement, il est bon à mettre au cabinet[2].
Vous vous êtes réglé sur de méchants[3] modèles,
Et vos expressions ne sont point naturelles.

380 Qu'est-ce que *Nous berce un temps notre ennui ?*
Et que *Rien ne marche après lui ?*
Que *Ne vous pas mettre en dépense,*
Pour ne me donner que l'espoir ?
Et que *Philis, on désespère,*
Alors qu'on espère toujours ?

385 Ce style figuré[4], dont on fait vanité,
Sort du bon caractère et de la vérité
Ce n'est que jeu de mots, qu'affectation[5] pure,
Et ce n'est point ainsi que parle la nature.
Le méchant goût du siècle[6], en cela, me fait peur.

---

1. **Entendre** : comprendre.
2. **Cabinet** : meuble à tiroirs, mais aussi toilettes.
3. **Méchants** : mauvais.
4. **Style figuré** : manière recherchée et peu naturelle d'écrire, caractérisée par l'abondance des figures de style.
5. **Affectation** : manque de naturel.
6. **Siècle** : époque.

390 Nos pères, tous grossiers[1], l'avaient beaucoup meilleur,
Et je prise[2] bien moins tout ce que l'on admire,
Qu'une vieille chanson que je m'en vais vous dire :

> *Si le Roi m'avait donné*
> *Paris, sa grand'ville,*
395 > *Et qu'il me fallût quitter*
> *L'amour de ma mie[3],*
> *Je dirais au roi Henri[4] :*
> *« Reprenez votre Paris :*
> *J'aime mieux ma mie, au gué[5] !*
400 > *J'aime mieux ma mie. »*

La rime n'est pas riche, et le style en est vieux :
Mais ne voyez-vous pas que cela vaut bien mieux
Que ces colifichets[6], dont le bon sens murmure,
Et que la passion parle là toute pure ?

405 > *Si le Roi m'avait donné*
> *Paris, sa grand'ville,*
> *Et qu'il me fallût quitter*
> *L'amour de ma mie,*
> *Je dirais au roi Henri :*
410 > *« Reprenez votre Paris :*

---

1. **Grossiers** : malgré leur manque de culture.
2. **Je prise** : j'estime.
3. **Ma mie** : mon amie (forme contractée).
4. **Henri** : Henri IV (1553-1610).
5. **Au gué** : interjection exprimant la joie.
6. **Colifichets** : petits objets de fantaisie et de mauvais goût (en contexte).

J'aime mieux ma mie, au gué !
J'aime mieux ma mie. »

Voilà ce que peut dire un cœur vraiment épris.

À Philinte qui rit.

Oui, Monsieur le rieur, malgré vos beaux esprits,
415 J'estime plus cela que la pompe fleurie [1]
De tous ces faux brillants, où chacun se récrie [2].

ORONTE

Et moi, je vous soutiens que mes vers sont fort bons.

ALCESTE

Pour les trouver ainsi vous avez vos raisons ;
Mais vous trouverez bon que j'en puisse avoir d'autres,
420 Qui se dispenseront de se soumettre aux vôtres.

ORONTE

Il me suffit de voir que d'autres en font cas.

ALCESTE

C'est qu'ils ont l'art de feindre ; et moi, je ne l'ai pas.

ORONTE

Croyez-vous donc avoir tant d'esprit en partage ?

ALCESTE

Si je louais vos vers, j'en aurais davantage.

ORONTE

425 Je me passerai bien que vous les approuviez.

---

1. **Pompe fleurie** : style majestueux et rempli d'ornements.
2. **Où chacun se récrie** : qui inspire à chacun des cris d'admiration.

ALCESTE

Il faut bien, s'il vous plaît, que vous vous en passiez.

ORONTE

Je voudrais bien, pour voir, que, de votre manière,
Vous en composassiez[1] sur la même matière.

ALCESTE

J'en pourrais, par malheur, faire d'aussi méchants[2] ;
430   Mais je me garderais de les montrer aux gens.

ORONTE

Vous me parlez bien ferme, et cette suffisance[3]...

ALCESTE

Autre part que chez moi cherchez qui vous encense[4].

ORONTE

Mais, mon petit Monsieur, prenez-le un peu moins haut[5].

ALCESTE

Ma foi ! mon grand Monsieur, je le prends comme il faut.

PHILINTE, *se mettant entre deux.*

435   Eh ! Messieurs, c'en est trop ; laissez cela, de grâce.

ORONTE

Ah ! j'ai tort, je l'avoue, et je quitte la place[6].
Je suis votre valet, Monsieur, de tout mon cœur.

---

1. **Composassiez** : du verbe composer (subjonctif imparfait).

2. **Méchants** : mauvais.

3. **Suffisance** : vanité, prétention.

4. **Qui vous encense** : quelqu'un qui vous fasse des éloges.

5. **Prenez-le un peu moins haut** : parlez-moi avec moins de mépris, plus de modestie.

6. **Place** : lieu, ici maison de Célimène.

ALCESTE

Et moi, je suis, Monsieur, votre humble serviteur[1].

Scène 3

PHILINTE, ALCESTE

PHILINTE

Hé bien! vous le voyez: pour être trop sincère,
440 Vous voilà sur les bras une fâcheuse affaire;
Et j'ai bien vu qu'Oronte, afin d'être flatté…

ALCESTE

Ne me parlez pas.

PHILINTE

Mais…

ALCESTE

Plus de société[2].

PHILINTE

C'est trop…

ALCESTE

Laissez-moi là.

PHILINTE

Si je…

---

1. Je suis votre valet, je suis votre humble serviteur: formules de politesse, ici ironiques.
2. Plus de société: je ne veux plus de compagnie, je veux être seul.

ALCESTE

Point de langage[1].

PHILINTE

Mais quoi… ?

ALCESTE

Je n'entends rien[2].

PHILINTE

Mais…

ALCESTE

Encore ?

PHILINTE

On outrage…

ALCESTE

445   Ah ! parbleu ! c'en est trop ; ne suivez point mes pas.

PHILINTE

Vous vous moquez de moi, je ne vous quitte pas.

---

1. **Point de langage** : subtilités de langage, discussions subtiles.
2. **Je n'entends rien** : je ne veux rien entendre.

Acte II

Scène première

ALCESTE, CÉLIMÈNE

ALCESTE

Madame, voulez-vous que je vous parle net ?
De vos façons d'agir je suis mal satisfait ;
Contre elles dans mon cœur trop de bile[1] s'assemble,
Et je sens qu'il faudra que nous rompions ensemble.
Oui, je vous tromperais de parler autrement ;
Tôt ou tard nous romprons indubitablement[2] ;
Et je vous promettrais mille fois le contraire,
Que je ne serais pas en pouvoir de le faire.

CÉLIMÈNE

C'est pour me quereller donc, à ce que je vois,
Que vous avez voulu me ramener chez moi ?

ALCESTE

Je ne querelle point ; mais votre humeur, Madame,
Ouvre au premier venu trop d'accès dans votre âme :

---

1. Bile : mauvaise humeur, colère. La bile est une des quatre humeurs du corps (voir note 6 p. 12).

2. Indubitablement : sans aucun doute.

Vous avez trop d'amants[1] qu'on voit vous obséder[2],
460   Et mon cœur de cela ne peut s'accommoder.

CÉLIMÈNE

Des amants que je fais me rendez-vous coupable ?
Puis-je empêcher les gens de me trouver aimable ?
Et lorsque pour me voir ils font de doux efforts,
Dois-je prendre un bâton pour les mettre dehors ?

ALCESTE

465   Non, ce n'est pas, Madame, un bâton qu'il faut prendre,
Mais un cœur à leurs vœux moins facile et moins tendre.
Je sais que vos appas[3] vous suivent en tous lieux ;
Mais votre accueil retient ceux qu'attirent vos yeux ;
Et sa douceur offerte à qui vous rend les armes
470   Achève sur les cœurs l'ouvrage de vos charmes.
Le trop riant espoir[4] que vous leur présentez
Attache autour de vous leurs assiduités[5] ;
Et votre complaisance un peu moins étendue
De tant de soupirants[6] chasserait la cohue.
475   Mais au moins dites-moi, Madame, par quel sort
Votre Clitandre a l'heur[7] de vous plaire si fort ?
Sur quel fonds de mérite et de vertu sublime
Appuyez-vous en lui l'honneur de votre estime ?

---

1. **Amants** : soupirants, séducteurs.
2. **Obséder** : courtiser (comme on assiège une place forte).
3. **Appas** : charmes.
4. **Le trop riant espoir** : la trop grande complaisance.
5. **Assiduités** : application, efforts.
6. **Soupirants** : séducteurs.
7. **L'heur** : le bonheur.

Est-ce par l'ongle long qu'il porte au petit doigt[1]
480 Qu'il s'est acquis chez vous l'estime où l'on le voit ?
Vous êtes-vous rendue, avec tout le beau monde,
Au mérite éclatant de sa perruque blonde ?
Sont-ce ses grands canons[2] qui vous le font aimer ?
L'amas de ses rubans a-t-il su vous charmer ?
485 Est-ce par les appas de sa vaste rhingrave[3]
Qu'il a gagné votre âme en faisant votre esclave ?
Ou sa façon de rire et son ton de fausset[4]
Ont-ils de vous toucher su trouver le secret ?

CÉLIMÈNE

Qu'injustement de lui vous prenez de l'ombrage[5] !
490 Ne savez-vous pas bien pourquoi je le ménage,
Et que dans mon procès, ainsi qu'il m'a promis,
Il peut intéresser tout ce qu'il a d'amis ?

ALCESTE

Perdez votre procès, Madame, avec constance[6],
Et ne ménagez point un rival qui m'offense.

CÉLIMÈNE

495 Mais de tout l'univers vous devenez jaloux.

ALCESTE

C'est que tout l'univers est bien reçu de vous.

---

1. Certains nobles à la mode portaient l'ongle long au petit doigt.
2. Canons : ornements de dentelle portés au-dessus du genou.
3. Rhingrave : ancien vêtement ample, attaché par le bas avec des rubans.
4. Ton de fausset : voix très aiguë.
5. Vous prenez de l'ombrage : vous vous montrez jaloux.
6. Constance : tranquillité d'esprit.

CÉLIMÈNE

C'est ce qui doit rasseoir[1] votre âme effarouchée,
Puisque ma complaisance est sur tous épanchée[2] ;
Et vous auriez plus lieu[3] de vous en offenser,
500 Si vous me la voyiez sur un seul ramasser.

ALCESTE

Mais moi, que vous blâmez de trop de jalousie,
Qu'ai-je de plus qu'eux tous, Madame, je vous prie ?

CÉLIMÈNE

Le bonheur de savoir que vous êtes aimé.

ALCESTE

Et quel lieu de le croire a mon cœur enflammé ?

CÉLIMÈNE

505 Je pense qu'ayant pris le soin de vous le dire,
Un aveu de la sorte a de quoi vous suffire.

ALCESTE

Mais qui[4] m'assurera que, dans le même instant,
Vous n'en disiez peut-être aux autres tout autant ?

CÉLIMÈNE

Certes, pour un amant, la fleurette[5] est mignonne,
510 Et vous me traitez là de gentille personne.
Hé bien ! pour vous ôter d'un semblable souci,

---

1. **Rasseoir** : rassurer.
2. **Épanchée** : versée.
3. **Lieu** : raison.
4. **Qui** : qu'est-ce qui.
5. **Fleurette** : propos galant.

De tout ce que j'ai dit je me dédis ici,
Et rien ne saurait plus vous tromper que vous-même :
Soyez content.

ALCESTE

Morbleu[1] ! faut-il que je vous aime !
515   Ah ! que si de vos mains je rattrape mon cœur,
Je bénirai le Ciel de ce rare bonheur !
Je ne le cèle[2] pas, je fais tout mon possible
À rompre de ce cœur l'attachement terrible ;
Mais mes plus grands efforts n'ont rien fait jusqu'ici,
520   Et c'est pour mes péchés que je vous aime ainsi.

CÉLIMÈNE

Il est vrai, votre ardeur est pour moi sans seconde[3].

ALCESTE

Oui, je puis là-dessus défier tout le monde.
Mon amour ne se peut concevoir, et jamais
Personne n'a, Madame, aimé comme je fais.

CÉLIMÈNE

525   En effet, la méthode en est toute nouvelle,
Car vous aimez les gens pour leur faire querelle ;
Ce n'est qu'en mots fâcheux[4] qu'éclate votre ardeur,
Et l'on n'a vu jamais un amour si grondeur.

---

1. **Morbleu** : juron, atténuation de « mort de Dieu ».
2. **Cèle** : cache.
3. **Sans seconde** : incomparable.
4. **Fâcheux** : contrariants, déplaisants.

ALCESTE

Mais il ne tient qu'à vous que son chagrin ne passe.

530 À tous nos démêlés coupons chemin[1], de grâce,

Parlons à cœur ouvert, et voyons d'arrêter…

Scène 2

CÉLIMÈNE, ALCESTE, BASQUE

CÉLIMÈNE

Qu'est-ce ?

BASQUE

Acaste est là-bas[2].

CÉLIMÈNE

Hé bien ! faites monter.

ALCESTE

Quoi ? l'on ne peut jamais vous parler tête à tête ?

À recevoir le monde on vous voit toujours prête ?

535 Et vous ne pouvez pas, un seul moment de tous,

Vous résoudre à souffrir de n'être pas chez vous[3] ?

CÉLIMÈNE

Voulez-vous qu'avec lui je me fasse une affaire[4] ?

---

1. Coupons chemin : mettons un terme.

2. Là-bas : au rez-de-chaussée.

3. Souffrir de n'être pas chez vous : accepter de dire que vous n'êtes pas chez vous.

4. Affaire : différend, querelle.

ALCESTE

Vous avez des regards qui ne sauraient me plaire.

CÉLIMÈNE

C'est un homme à jamais ne me le pardonner,
540   S'il savait que sa vue eût pu m'importuner.

ALCESTE

Et que vous fait cela, pour vous gêner de sorte…?

CÉLIMÈNE

Mon Dieu! de ses pareils la bienveillance importe;
Et ce sont de ces gens qui, je ne sais comment,
Ont gagné dans la cour de parler hautement[1].
545   Dans tous les entretiens on les voit s'introduire;
Ils ne sauraient servir, mais ils peuvent vous nuire;
Et jamais, quelque appui qu'on puisse avoir d'ailleurs,
On ne doit se brouiller avec ces grands brailleurs[2].

ALCESTE

Enfin, quoi qu'il en soit, et sur quoi qu'on se fonde,
550   Vous trouvez des raisons pour souffrir[3] tout le monde;
Et les précautions de votre jugement…

---

1. **Hautement**: ouvertement, librement.
2. **Brailleurs**: qui braillent, qui bavardent bruyamment.
3. **Souffrir**: supporter.

Scène 3

BASQUE, ALCESTE, CÉLIMÈNE

BASQUE

Voici Clitandre encor, Madame.

ALCESTE

Justement.
Il témoigne s'en vouloir aller[1].

CÉLIMÈNE

Où courez-vous ?

ALCESTE

Je sors.

CÉLIMÈNE
Demeurez.

ALCESTE

Pour quoi faire ?

CÉLIMÈNE

Demeurez.

ALCESTE

Je ne puis.

CÉLIMÈNE

Je le veux.

ALCESTE
Point d'affaire[2].

---

1. Il témoigne s'en vouloir aller : il fait comme s'il voulait s'en aller. L'ordre des mots est conforme aux exigences de la syntaxe classique.
2. Point d'affaire : pas question.

555 Ces conversations ne font que m'ennuyer,
Et c'est trop que vouloir me les faire essuyer[1].

CÉLIMÈNE

Je le veux, je le veux.

ALCESTE

Non, il m'est impossible.

CÉLIMÈNE

Hé bien! allez, sortez, il vous est tout loisible[2].

Scène 4

ÉLIANTE, PHILINTE, ACASTE, CLITANDRE,
ALCESTE, CÉLIMÈNE, BASQUE

ÉLIANTE, *à Célimène.*

Voici les deux marquis qui montent avec nous:
560 Vous l'est-on venu dire?

CÉLIMÈNE

Oui. Des sièges pour tous.

À Alceste.

Vous n'êtes pas sorti?

ALCESTE

Non; mais je veux, Madame,
Ou pour eux, ou pour moi, faire expliquer votre âme[3].

---

1. Essuyer: supporter.

2. Il vous est tout loisible: vous en avez le droit.

3. Faire expliquer votre âme: vous obliger à révéler les pensées que votre âme dissimule.

CÉLIMÈNE

Taisez-vous.

ALCESTE

Aujourd'hui vous vous expliquerez.

CÉLIMÈNE

Vous perdez le sens.

ALCESTE

Point. Vous vous déclarerez.

CÉLIMÈNE

565   Ah!

ALCESTE

Vous prendrez parti.

CÉLIMÈNE

Vous vous moquez, je pense.

ALCESTE

Non; mais vous choisirez; c'est trop de patience.

CLITANDRE

Parbleu[1]! je viens du Louvre, où Cléonte, au levé[2],
Madame, a bien paru ridicule achevé[3].
N'a-t-il point quelque ami qui pût, sur ses manières,
570   D'un charitable avis lui prêter les lumières?

---

1. **Parbleu**: juron, atténuation de « Par Dieu ».
2. **Levé**: lever du roi. Les courtisans qui assistaient à cette cérémonie avaient les faveurs du roi.
3. **Ridicule achevé**: parfaitement ridicule.

CÉLIMÈNE

Dans le monde, à vrai dire, il se barbouille[1] fort,
Partout il porte un air qui saute aux yeux d'abord ;
Et lorsqu'on le revoit après un peu d'absence,
On le retrouve encor plus plein d'extravagance.

ACASTE

575 Parbleu ! s'il faut parler de gens extravagants,
Je viens d'en essuyer un des plus fatigants :
Damon, le raisonneur[2], qui m'a, ne vous déplaise,
Une heure, au grand soleil, tenu hors de ma chaise[3].

CÉLIMÈNE

C'est un parleur étrange, et qui trouve toujours
580 L'art de ne vous rien dire avec de grands discours ;
Dans les propos qu'il tient, on ne voit jamais goutte[4],
Et ce n'est que du bruit que tout ce qu'on écoute.

ÉLIANTE, *à Philinte.*

Ce début n'est pas mal ; et contre le prochain
La conversation prend un assez bon train.

CLITANDRE

585 Timante encor, Madame, est un bon caractère[5].

CÉLIMÈNE

C'est de la tête aux pieds un homme tout mystère,
Qui vous jette en passant un coup d'œil égaré,

---

1. **Se barbouille** : se rend ridicule.
2. **Raisonneur** : bavard.
3. **Chaise** : chaise à porteurs.
4. **On ne voit jamais goutte** : on ne comprend jamais rien.
5. **Caractère** : personnalité typique, dont on peut faire le portrait. Le mot a un sens proche de celui qu'il a pour La Bruyère dans *Les Caractères* (1688).

Et, sans aucune affaire, est toujours affairé.

Tout ce qu'il vous débite en grimaces abonde ;

590 À force de façons[1], il assomme le monde ;

Sans cesse, il a, tout bas, pour rompre l'entretien,

Un secret à vous dire, et ce secret n'est rien ;

De la moindre vétille[2] il fait une merveille,

Et jusques au bonjour, il dit tout à l'oreille.

ACASTE

595 Et Géralde, Madame ?

CÉLIMÈNE

Ô l'ennuyeux conteur !

Jamais on ne le voit sortir du grand seigneur[3] ;

Dans le brillant commerce[4] il se mêle sans cesse,

Et ne cite jamais que duc, prince ou princesse :

La qualité l'entête[5] ; et tous ses entretiens

600 Ne sont que de chevaux, d'équipage[6] et de chiens ;

Il tutaye[7] en parlant ceux du plus haut étage[8],

Et le nom de Monsieur est chez lui hors d'usage.

CLITANDRE

On dit qu'avec Bélise il est du dernier bien[9].

---

1. **Grimaces, façons** : manières manquant de naturel.

2. **Vétille** : bagatelle, petite chose.

3. **Sortir du grand seigneur** : parler d'autre chose que des grands seigneurs.

4. **Commerce** : relation, fréquentation.

5. **La qualité l'entête** : il ne pense qu'à la naissance noble de ceux qu'il fréquente.

6. **Équipage** : nécessaire pour la chasse.

7. **Tutaye** : tutoie.

8. **Du plus haut étage** : d'un plus haut rang social.

9. **Qu'avec Bélise il est du dernier bien** : qu'il est très intime avec Bélise.

CÉLIMÈNE

Le pauvre esprit de femme, et le sec entretien !
605 Lorsqu'elle vient me voir, je souffre le martyre :
Il faut suer sans cesse à chercher que lui dire,
Et la stérilité de son expression
Fait mourir à tous coups la conversation.
En vain, pour attaquer son stupide silence,
610 De tous les lieux communs vous prenez l'assistance[1] :
Le beau temps et la pluie, et le froid et le chaud
Sont des fonds[2] qu'avec elle on épuise bientôt.
Cependant sa visite, assez insupportable,
Traîne en une longueur encore épouvantable ;
615 Et l'on demande l'heure, et l'on bâille vingt fois,
Qu'elle grouille[3] aussi peu qu'une pièce de bois.

ACASTE

Que vous semble d'Adraste ?

CÉLIMÈNE

Ah ! quel orgueil extrême !
C'est un homme gonflé de l'amour de soi-même.
Son mérite jamais n'est content de la cour :
620 Contre elle il fait métier de pester chaque jour,
Et l'on ne donne emploi, charge ni bénéfice[4],
Qu'à tout ce qu'il se croit on ne fasse injustice.

1. De tous les lieux communs vous prenez l'assistance : vous vous aidez de propos banals.

2. Fonds : ressources, sujets de conversation.

3. Grouille : bouge.

4. Un *emploi* est donné à titre temporaire, contrairement à une *charge*, qui est une fonction publique accordée de manière permanente. Un *bénéfice* est une charge que l'Église donne à un homme en échange d'un revenu.

CLITANDRE

Mais le jeune Cléon, chez qui vont aujourd'hui
Nos plus honnêtes gens, que dites-vous de lui ?

CÉLIMÈNE

625 Que de son cuisinier il s'est fait un mérite,
Et que c'est à sa table à qui l'on rend visite.

ÉLIANTE

Il prend soin d'y servir des mets fort délicats.

CÉLIMÈNE

Oui ; mais je voudrais bien qu'il ne s'y servît pas :
C'est un fort méchant plat que sa sotte personne,
630 Et qui gâte, à mon goût, tous les repas qu'il donne.

PHILINTE

On fait assez de cas de son oncle Damis :
Qu'en dites-vous, Madame ?

CÉLIMÈNE

Il est de mes amis.

PHILINTE

Je le trouve honnête homme, et d'un air assez sage.

CÉLIMÈNE

Oui ; mais il veut avoir trop d'esprit, dont[1] j'enrage ;
635 Il est guindé[2] sans cesse ; et dans tous ses propos,
On voit qu'il se travaille[3] à dire de bons mots.
Depuis que dans la tête il s'est mis d'être habile,
Rien ne touche son goût, tant il est difficile ;

---

1. **Dont** : ce dont.
2. **Guindé** : peu naturel, l'air contraint.
3. **Il se travaille** : il fait des efforts, il peine.

Il veut voir des défauts à tout ce qu'on écrit,
640 Et pense que louer n'est pas d'un bel esprit,
Que c'est être savant que trouver à redire,
Qu'il n'appartient qu'aux sots d'admirer et de rire,
Et qu'en n'approuvant rien des ouvrages du temps,
Il se met au-dessus de tous les autres gens ;
645 Aux conversations même il trouve à reprendre :
Ce sont propos trop bas pour y daigner descendre ;
Et les deux bras croisés, du haut de son esprit
Il regarde en pitié tout ce que chacun dit.

ACASTE

Dieu me damne[1], voilà son portrait véritable.

CLITANDRE, *à Célimène*

650 Pour bien peindre les gens vous êtes admirable.

ALCESTE

Allons, ferme, poussez[2], mes bons amis de cour ;
Vous n'en épargnez point, et chacun a son tour ;
Cependant aucun d'eux à vos yeux ne se montre,
Qu'on ne vous voie, en hâte, aller à sa rencontre,
655 Lui présenter la main, et d'un baiser flatteur
Appuyer les serments d'être son serviteur.

CLITANDRE

Pourquoi s'en prendre à nous ? Si ce qu'on dit vous blesse,
Il faut que le reproche à Madame s'adresse.

---

1. **Dieu me damne** : expression qui marque la surprise et l'admiration.
2. **Poussez** : continuez.

ALCESTE

Non, morbleu[1] ! c'est à vous ; et vos ris[2] complaisants
660 Tirent de son esprit tous ces traits médisants.
Son humeur satirique est sans cesse nourrie
Par le coupable encens de votre flatterie ;
Et son cœur à railler trouverait moins d'appas[3],
S'il avait observé qu'on ne l'applaudît pas.
665 C'est ainsi qu'aux flatteurs on doit partout se prendre[4]
Des vices où l'on voit les humains se répandre.

PHILINTE

Mais pourquoi pour ces gens un intérêt si grand,
Vous qui condamneriez ce qu'en eux on reprend ?

CÉLIMÈNE

Et ne faut-il pas bien que Monsieur contredise ?
670 À la commune voix veut-on qu'il se réduise,
Et qu'il ne fasse pas éclater en tous lieux
L'esprit contrariant qu'il a reçu des cieux ?
Le sentiment[5] d'autrui n'est jamais pour lui plaire ;
Il prend toujours en main l'opinion contraire,
675 Et penserait paraître un homme du commun[6],
Si l'on voyait qu'il fût de l'avis de quelqu'un.
L'honneur de contredire a pour lui tant de charmes,
Qu'il prend contre lui-même assez souvent les armes ;
Et ses vrais sentiments sont combattus par lui,
680 Aussitôt qu'il les voit dans la bouche d'autrui.

---

1. Morbleu : juron, atténuation de « mort de Dieu ».
2. Ris : rires.
3. Appas : séductions.
4. Se prendre : s'en prendre, critiquer.
5. Sentiment : opinion.
6. Homme du commun : homme banal.

ALCESTE

Les rieurs sont pour vous, Madame, c'est tout dire,
Et vous pouvez pousser contre moi la satire.

PHILINTE

Mais il est véritable aussi que votre esprit
Se gendarme[1] toujours contre tout ce qu'on dit,
685 Et que, par un chagrin[2] que lui-même il avoue,
Il ne saurait souffrir[3] qu'on blâme, ni qu'on loue.

ALCESTE

C'est que jamais, morbleu ! les hommes n'ont raison,
Que le chagrin contre eux est toujours de saison[4],
Et que je vois qu'ils sont, sur toutes les affaires,
690 Loueurs impertinents[5], ou censeurs[6] téméraires.

CÉLIMÈNE

Mais…

ALCESTE

Non, Madame, non : quand j'en devrais mourir,
Vous avez des plaisirs que je ne puis souffrir ;
Et l'on a tort ici de nourrir dans votre âme
Ce grand attachement aux défauts qu'on y blâme.

CLITANDRE

695 Pour moi, je ne sais pas, mais j'avouerai tout haut
Que j'ai cru jusqu'ici Madame sans défaut.

---

1. **Se gendarme** : se met en colère.
2. **Chagrin** : mauvaise humeur.
3. **Souffrir** : supporter.
4. **De saison** : à la mode, d'actualité.
5. **Impertinents** : qui manquent de pertinence, privés de bon sens.
6. **Censeurs** : critiques.

ACASTE

De grâces et d'attraits je vois qu'elle est pourvue ;
Mais les défauts qu'elle a ne frappent point ma vue.

ALCESTE

Ils frappent tous la mienne ; et loin de m'en cacher,
700   Elle sait que j'ai soin de les lui reprocher.
Plus on aime quelqu'un, moins il faut qu'on le flatte ;
À ne rien pardonner le pur amour éclate ;
Et je bannirais, moi, tous ces lâches amants[1]
Que je verrais soumis à tous mes sentiments,
705   Et dont, à tous propos, les molles complaisances
Donneraient de l'encens[2] à mes extravagances.

CÉLIMÈNE

Enfin, s'il faut qu'à vous s'en rapportent les cœurs,
On doit, pour bien aimer, renoncer aux douceurs,
Et du parfait amour mettre l'honneur suprême
710   À bien injurier les personnes qu'on aime.

ÉLIANTE

L'amour, pour l'ordinaire[3], est peu fait à ces lois,
Et l'on voit les amants vanter toujours leur choix ;
Jamais leur passion n'y voit rien de blâmable,
Et dans l'objet aimé tout leur devient aimable :
715   Ils comptent les défauts pour des perfections,
Et savent y donner de favorables noms.
La pâle est aux jasmins en blancheur comparable ;

---

1. **Amants** : soupirants, séducteurs.
2. **Donneraient de l'encens** : flatteraient.
3. **Pour l'ordinaire** : d'habitude.

La noire[1] à faire peur, une brune adorable;
La maigre a de la taille et de la liberté;
720 La grasse est dans son port pleine de majesté;
La malpropre sur soi, de peu d'attraits chargée,
Est mise sous le nom de beauté négligée;
La géante paraît une déesse aux yeux;
La naine, un abrégé des merveilles des cieux;
725 L'orgueilleuse a le cœur digne d'une couronne;
La fourbe[2] a de l'esprit; la sotte est toute bonne;
La trop grande parleuse est d'agréable humeur;
Et la muette garde une honnête pudeur.
C'est ainsi qu'un amant dont l'ardeur est extrême
730 Aime jusqu'aux défauts des personnes qu'il aime.

ALCESTE

Et moi, je soutiens, moi…

CÉLIMÈNE

Brisons[3] là ce discours,
Et dans la galerie[4] allons faire deux tours.
Quoi? vous vous en allez, Messieurs?

CLITANDRE ET ACASTE

Non pas, Madame.

ALCESTE

La peur de leur départ occupe fort votre âme.
735 Sortez quand vous voudrez, Messieurs; mais j'avertis
Que je ne sors qu'après que vous serez sortis.

---

1. **Noire**: celle qui a le teint hâlé.
2. **Fourbe**: rusée, malhonnête.
3. **Brisons**: terminons.
4. **Galerie**: pièce disposée en longueur, où l'on peut se promener.

ACASTE

À moins de voir Madame en être importunée,
Rien ne m'appelle ailleurs de toute la journée.

CLITANDRE

Moi, pourvu que je puisse être au petit couché[1],
740 Je n'ai point d'autre affaire où je sois attaché.

CÉLIMÈNE, *à Alceste.*

C'est pour rire, je crois.

ALCESTE

Non, en aucune sorte :
Nous verrons si c'est moi que vous voudrez qui sorte[2].

Scène 5

BASQUE, ALCESTE, CÉLIMÈNE, ÉLIANTE,
ACASTE, PHILINTE, CLITANDRE

BASQUE, *à Alceste.*

Monsieur, un homme est là qui voudrait vous parler,
Pour affaire, dit-il, qu'on ne peut reculer.

ALCESTE

745 Dis-lui que je n'ai point d'affaires si pressées.

---

1. **Petit couché :** petit coucher du roi. Seule la haute noblesse pouvait y assister.
2. **Nous verrons si c'est moi que vous voudrez qui sorte :** nous verrons si vous voudrez que ce soit moi qui sorte, sous-entendu « ou les petits marquis ».

BASQUE

Il porte une jaquette à grand'basques plissées[1],
Avec du dor[2] dessus.

CÉLIMÈNE, *à Alceste.*

Allez voir ce que c'est,
Ou bien faites-le entrer.

ALCESTE

Qu'est-ce donc qu'il vous plaît ?
Venez, Monsieur.

Scène 6

GARDE, ALCESTE, CÉLIMÈNE, ÉLIANTE,
ACASTE, PHILINTE, CLITANDRE

GARDE

Monsieur, j'ai deux mots à vous dire.

ALCESTE

750 Vous pouvez parler haut[3], Monsieur, pour m'en instruire.

GARDE

Messieurs les Maréchaux[4], dont j'ai commandement,
Vous mandent[5] de venir les trouver promptement,
Monsieur.

---

1. Jaquette à grand'basques plissées : uniforme de la maréchaussée, actuelle gendarmerie.
2. Du dor : de l'or.
3. Parler haut : parler à haute voix.
4. Les Maréchaux, réunis en tribunal, avaient pour mission d'éviter les duels entre aristocrates, interdits en 1651, et de régler les questions de point d'honneur. Oronte s'est estimé offensé par les critiques d'Alceste sur son sonnet.
5. Mandent : demandent.

ALCESTE

Qui ? moi, Monsieur ?

GARDE

Vous-même.

ALCESTE

Et pour quoi faire ?

PHILINTE, *à Alceste.*

C'est d'Oronte et de vous la ridicule affaire.

CÉLIMÈNE, *à Philinte.*

755 Comment ?

PHILINTE

Oronte et lui se sont tantôt bravés[1]
Sur certains petits vers, qu'il n'a pas approuvés ;
Et l'on veut assoupir la chose en sa naissance[2].

ALCESTE

Moi, je n'aurai jamais de lâche complaisance.

PHILINTE

Mais il faut suivre l'ordre : allons, disposez-vous…

ALCESTE

760 Quel accommodement veut-on faire entre nous ?
La voix[3] de ces Messieurs me condamnera-t-elle
À trouver bons les vers qui font notre querelle ?

---

1. Bravés : défiés.

2. Assoupir la chose en sa naissance : mettre un terme à cette querelle dès maintenant.

3. Voix : jugement.

Je ne me dédis point[1] de ce que j'en ai dit,
Je les trouve méchants[2].

PHILINTE

Mais, d'un plus doux esprit…

ALCESTE

765 Je n'en démordrai point : les vers sont exécrables.

PHILINTE

Vous devez faire voir des sentiments traitables[3].
Allons, venez.

ALCESTE

J'irai ; mais rien n'aura pouvoir
De me faire dédire.

PHILINTE

Allons vous faire voir.

ALCESTE

Hors qu'un commandement exprès du Roi[4] me vienne
770 De trouver bons les vers dont on se met en peine,
Je soutiendrai toujours, morbleu[5] ! qu'ils sont mauvais,
Et qu'un homme est pendable[6] après les avoir faits.

---

1. Je ne me dédis point : je ne désavoue pas ce que j'en ai dit.
2. Méchants : mauvais.
3. Traitables : conciliants.
4. Hors qu'un commandement exprès du Roi : à moins qu'un ordre indis-
cutable du Roi.
5. Morbleu : voir note 1 p. 52.
6. Pendable : digne d'être pendu.

À Clitandre et Acaste, qui rient.

Par la sangbleu[1] ! Messieurs, je ne croyais pas être
Si plaisant que je suis.

CÉLIMÈNE

Allez vite paraître

775   Où vous devez.

ALCESTE

J'y vais, Madame, et sur mes pas
Je reviens en ce lieu, pour vuider[2] nos débats.

*ends on cliffhanger
he will be back to
finish his argument with
Celimene.*

---

1. Sangbleu : juron, atténuation de « par le sang de Dieu ».
2. Vuider : vider, achever.

Acte III

Scène première

CLITANDRE, ACASTE

CLITANDRE

Cher Marquis, je te vois l'âme bien satisfaite :
Toute chose t'égaye, et rien ne t'inquiète.
En bonne foi, crois-tu, sans t'éblouir les yeux,
80 Avoir de grands sujets de paraître joyeux ?

ACASTE

Parbleu[1] ! je ne vois pas, lorsque je m'examine,
Où prendre aucun sujet d'avoir l'âme chagrine.
J'ai du bien, je suis jeune, et sors d'une maison
Qui se peut dire noble avec quelque raison ;
85 Et je crois, par le rang que me donne ma race[2],
Qu'il est fort peu d'emplois dont je ne sois en passe[3].
Pour le cœur[4], dont sur tout nous devons faire cas,
On sait, sans vanité, que je n'en manque pas,
Et l'on m'a vu pousser, dans le monde, une affaire[5]

---

1. **Parbleu** : juron, atténuation de « par Dieu ».
2. **Race** : famille.
3. **Dont je ne sois en passe** : que je ne sois bien placé pour obtenir.
4. **Cœur** : courage.
5. **Pousser [...] une affaire** : mener à bien une affaire d'honneur, c'est-à-dire un duel.

790 D'une assez vigoureuse et gaillarde manière.

Pour de l'esprit, j'en ai sans doute[1], et du bon goût

À juger sans étude et raisonner de tout,

À faire aux nouveautés, dont je suis idolâtre[2],

Figure de savant sur les bancs du théâtre,

795 Y décider en chef, et faire du fracas

À tous les beaux endroits qui méritent des has[3] !

Je suis assez adroit ; j'ai bon air, bonne mine,

Les dents belles surtout, et la taille fort fine.

Quant à se mettre bien[4], je crois, sans me flatter,

800 Qu'on serait mal venu de me le disputer.

Je me vois dans l'estime autant qu'on y puisse être,

Fort aimé du beau sexe[5], et bien auprès du maître[6].

Je crois qu'avec cela, mon cher Marquis, je crois

Qu'on peut, par tout pays, être content de soi.

CLITANDRE

805 Oui ; mais, trouvant ailleurs des conquêtes faciles,

Pourquoi pousser ici des soupirs inutiles ?

ACASTE

Moi ? Parbleu[7] ! je ne suis de taille ni d'humeur

À pouvoir d'une belle essuyer la froideur.

C'est aux gens mal tournés, aux mérites vulgaires,

810 À brûler[8] constamment pour des beautés sévères,

---

1. Sans doute : sans aucun doute.

2. Dont je suis idolâtre : que j'adore.

3. Has : témoignages d'admiration.

4. Se mettre bien : s'habiller élégamment.

5. Beau sexe : sexe féminin, les femmes.

6. Maître : référence au roi.

7. Parbleu : voir note 1 p. 61.

8. Brûler : avoir des sentiments amoureux.

À languir à leurs pieds et souffrir[1] leurs rigueurs,
À chercher le secours des soupirs et des pleurs,
Et tâcher, par des soins d'une très longue suite,
D'obtenir ce qu'on nie à leur peu de mérite.
815   Mais les gens de mon air, Marquis, ne sont pas faits
Pour aimer à crédit[2], et faire tous les frais.
Quelque rare que soit le mérite des belles,
Je pense, Dieu merci ! qu'on vaut son prix comme elles,
Que pour se faire honneur d'un cœur comme le mien,
820   Ce n'est pas la raison[3] qu'il ne leur coûte rien,
Et qu'au moins, à tout mettre en de justes balances,
Il faut qu'à frais communs se fassent les avances.

CLITANDRE

Tu penses donc, Marquis, être fort bien ici[4] ?

ACASTE

J'ai quelque lieu[5], Marquis, de le penser ainsi.

CLITANDRE

825   Crois-moi, détache-toi de cette erreur extrême ;
Tu te flattes, mon cher, et t'aveugles toi-même.

ACASTE

Il est vrai, je me flatte et m'aveugle en effet.

CLITANDRE

Mais qui[6] te fait juger ton bonheur si parfait ?

---

1. Souffrir : supporter.
2. Aimer à crédit : aimer sans être payé de retour.
3. Ce n'est pas la raison : ce n'est pas juste.
4. Être fort bien ici : être bien considéré par Célimène.
5. J'ai quelque lieu : j'ai quelque raison.
6. Qui : qu'est-ce qui.

ACASTE

Je me flatte.

CLITANDRE

Sur quoi fonder tes conjectures ?

ACASTE

830   Je m'aveugle.

CLITANDRE

En as-tu des preuves qui soient sûres ?

ACASTE

Je m'abuse[1], te dis-je.

CLITANDRE

Est-ce que de ses vœux
Célimène t'a fait quelques secrets aveux ?

ACASTE

Non, je suis maltraité.

CLITANDRE

Réponds-moi, je te prie.

ACASTE

Je n'ai que des rebuts[2].

CLITANDRE

Laissons la raillerie,

835   Et me dis[3] quel espoir on[4] peut t'avoir donné.

---

1. Je m'abuse : je me trompe, ici dit de manière ironique.

2. Je n'ai que des rebuts : on ne fait que me rejeter, ici dit de manière ironique.

3. Me dis : dis-moi.

4. On : référence à Célimène.

ACASTE

Je suis le misérable, et toi le fortuné :
On a pour ma personne une aversion grande,
Et quelqu'un de ces jours[1] il faut que je me pende.

CLITANDRE

Ô çà, veux-tu, Marquis, pour ajuster nos vœux,
840 Que nous tombions d'accord d'une chose tous deux ?
Que qui pourra montrer une marque certaine
D'avoir meilleure part au cœur de Célimène,
L'autre ici fera place au vainqueur prétendu,
Et le délivrera d'un rival assidu ?

ACASTE

845 Ah ! parbleu[2] ! tu me plais avec un tel langage,
Et du bon de mon cœur à cela je m'engage.
Mais, chut !

Scène 2

CÉLIMÈNE, ACASTE, CLITANDRE

CÉLIMÈNE

Encore ici ?

CLITANDRE

L'amour retient nos pas.

---

1. **Quelqu'un de ces jours :** un de ces jours.
2. **Parbleu :** voir note 1 p. 61.

CÉLIMÈNE

Je viens d'ouïr entrer un carrosse là-bas :
Savez-vous qui c'est ?

CLITANDRE

Non.

Scène 3

BASQUE, CÉLIMÈNE, ACASTE, CLITANDRE

BASQUE

Arsinoé, Madame,

850 Monte ici pour vous voir.

CÉLIMÈNE

Que me veut cette femme ?

BASQUE

Éliante là-bas est à l'entretenir[1].

CÉLIMÈNE

De quoi s'avise-t-elle et qui[2] la fait venir ?

ACASTE

Pour prude consommée[3] en tous lieux elle passe,
Et l'ardeur de son zèle[4]...

---

1. L'entretenir : parler avec elle.
2. Qui : qu'est-ce qui.
3. Prude consommée : femme d'une vertu irréprochable, parfaite sage.
4. Zèle : ferveur religieuse.

CÉLIMÈNE

Oui, oui, franche grimace[1] :

855 Dans l'âme elle est du monde[2], et ses soins tentent tout
Pour accrocher quelqu'un[3], sans en venir à bout.
Elle ne saurait voir qu'avec un œil d'envie
Les amants déclarés dont une autre est suivie ;
Et son triste mérite, abandonné de tous,
860 Contre le siècle[4] aveugle est toujours en courroux[5].
Elle tâche à couvrir d'un faux voile de prude[6]
Ce que chez elle on voit d'affreuse solitude ;
Et pour sauver l'honneur de ses faibles appas[7],
Elle attache du crime au pouvoir qu'ils n'ont pas.
865 Cependant un amant[8] plairait fort à la dame,
Et même pour Alceste elle a tendresse d'âme.
Ce qu'il me rend de soins outrage ses attraits,
Elle veut que ce soit un vol que je lui fais ;
Et son jaloux dépit, qu'avec peine elle cache,
870 En tous endroits, sous main[9], contre moi se détache.
Enfin je n'ai rien vu de si sot à mon gré,
Elle est impertinente au suprême degré,
Et…

---

1. Grimace : feinte, masque.
2. Elle se conforme en réalité aux valeurs mondaines, qu'elle feint de critiquer au nom de la religion.
3. Accrocher quelqu'un : retenir l'attention de quelqu'un.
4. Siècle : monde, vie mondaine (par opposition à la vie religieuse).
5. Courroux : colère.
6. Prude : sage.
7. Appas : charmes.
8. Amant : qui aime et qui est aimé.
9. Sous main : secrètement, en cachette.

Scène 4

ARSINOÉ, CÉLIMÈNE

CÉLIMÈNE

Ah ! quel heureux sort en ce lieu vous amène ?
Madame, sans mentir, j'étais de vous en peine.

ARSINOÉ

875 Je viens pour quelque avis que j'ai cru vous devoir.

CÉLIMÈNE

Ah ! mon Dieu ! que je suis contente de vous voir !

ARSINOÉ

Leur départ ne pouvait plus à propos se faire.

CÉLIMÈNE

Voulons-nous nous asseoir ?

ARSINOÉ

              Il n'est pas nécessaire,

Madame. L'amitié doit surtout éclater
880 Aux choses qui le plus nous peuvent importer ;
Et comme il n'en est point de plus grande importance
Que celles de l'honneur et de la bienséance[1],
Je viens, par un avis qui touche votre honneur,
Témoigner l'amitié que pour vous a mon cœur.
885 Hier j'étais chez des gens de vertu singulière[2],
Où sur vous du discours on tourna la matière[3] ;
Et là, votre conduite, avec ses grands éclats[4],

---

1. Bienséance : respect de la morale et des convenances.
2. Singulière : exceptionnelle.
3. Où sur vous du discours on tourna la matière : où on se mit à parler de vous.
4. Éclats : manifestations contraires à la discrétion nécessaire.

Madame, eut le malheur qu'on ne la loua pas.
Cette foule de gens dont vous souffrez[1] visite,
890 Votre galanterie et les bruits qu'elle excite
Trouvèrent des censeurs[2] plus qu'il n'aurait fallu,
Et bien plus rigoureux que je n'eusse voulu.
Vous pouvez bien penser quel parti je sus prendre :
Je fis ce que je pus pour vous pouvoir défendre,
895 Je vous excusai fort sur votre intention,
Et voulus de votre âme être la caution[3].
Mais vous savez qu'il est des choses dans la vie
Qu'on ne peut excuser, quoiqu'on en ait envie ;
Et je me vis contrainte à demeurer d'accord
900 Que l'air dont vous viviez vous faisait un peu tort,
Qu'il prenait dans le monde une méchante face,
Qu'il n'est conte fâcheux que partout on n'en fasse,
Et que, si vous vouliez, tous vos déportements[4]
Pourraient moins donner prise aux mauvais jugements.
905 Non que j'y croie, au fond, l'honnêteté blessée :
Me préserve le Ciel d'en avoir la pensée !
Mais aux ombres[5] du crime on prête aisément foi,
Et ce n'est pas assez de bien vivre pour soi.
Madame, je vous crois l'âme trop raisonnable,
910 Pour ne pas prendre bien cet avis profitable,
Et pour l'attribuer qu'aux[6] mouvements secrets
D'un zèle qui m'attache à tous vos intérêts.

---

1. Souffrez : supportez, acceptez.
2. Censeurs : critiques.
3. Caution : garantie.
4. Déportements : comportements.
5. Ombres : apparences.
6. L'attribuer qu'aux : l'attribuer à autre chose qu'aux.

CÉLIMÈNE

Madame, j'ai beaucoup de grâces à vous rendre :
Un tel avis m'oblige[1], et loin de le mal prendre,

915 J'en prétends reconnaître, à l'instant, la faveur,
Pour un avis aussi qui touche votre honneur ;
Et comme je vous vois vous montrer mon amie
En m'apprenant les bruits que de moi l'on publie,
Je veux suivre, à mon tour, un exemple si doux,

920 En vous avertissant de ce qu'on dit de vous.
En un lieu, l'autre jour, où je faisais visite,
Je trouvai quelques gens d'un très rare mérite,
Qui, parlant des vrais soins d'une âme qui vit bien,
Firent tomber sur vous, Madame, l'entretien[2].

925 Là, votre pruderie[3] et vos éclats de zèle[4]
Ne furent pas cités comme un fort bon modèle :
Cette affectation[5] d'un grave extérieur,
Vos discours éternels de sagesse et d'honneur,
Vos mines et vos cris aux ombres d'indécence[6]

930 Que d'un mot ambigu peut avoir l'innocence,
Cette hauteur d'estime où vous êtes de vous,
Et ces yeux de pitié que vous jetez sur tous,
Vos fréquentes leçons, et vos aigres censures[7]
Sur des choses qui sont innocentes et pures,

935 Tout cela, si je puis vous parler franchement,

---

1. M'oblige : me rend service, me rend redevable à votre égard.
2. Entretien : discussion.
3. Pruderie : sagesse, vertu.
4. Éclats de zèle : démonstrations de dévotion.
5. Affectation : manière d'être peu sincère, apparence.
6. Ombres d'indécence : apparences d'immoralité.
7. Aigres censures : critiques acerbes, jugements désagréables.

Madame, fut blâmé d'un commun sentiment.

À quoi bon, disaient-ils, cette mine modeste,

Et ce sage dehors[1] que dément tout le reste ?

Elle est à bien prier exacte au dernier point ;

940   Mais elle bat ses gens[2], et ne les paye point.

Dans tous les lieux dévots[3] elle étale un grand zèle[4] ;

Mais elle met du blanc[5] et veut paraître belle.

Elle fait des tableaux couvrir les nudités ;

Mais elle a de l'amour pour les réalités[6].

945   Pour moi, contre chacun je pris votre défense,

Et leur assurai fort que c'était médisance ;

Mais tous les sentiments combattirent le mien ;

Et leur conclusion fut que vous feriez bien

De prendre moins de soin des actions des autres,

950   Et de vous mettre un peu plus en peine des vôtres ;

Qu'on doit se regarder soi-même un fort long temps,

Avant que de songer à condamner les gens ;

Qu'il faut mettre le poids d'une vie exemplaire

Dans les corrections qu'aux autres on veut faire ;

955   Et qu'encor vaut-il mieux s'en remettre, au besoin,

À ceux à qui le Ciel en a commis le soin[7].

Madame, je vous crois aussi trop raisonnable,

Pour ne pas prendre bien cet avis profitable,

---

1. **Sage dehors** : apparence sage.

2. **Gens** : domestiques.

3. **Dévots** : liés à la religion, destinés à la prière.

4. **Zèle** : ferveur religieuse.

5. **Blanc** : maquillage, fard.

6. **Réalités** : « nudités » réelles, par opposition à celles qu'Arsinoé fait couvrir dans les tableaux.

7. **Ceux à qui le Ciel en a commis le soin** : référence aux prêtres.

Et pour l'attribuer qu'aux mouvements secrets
960 D'un zèle qui m'attache à tous vos intérêts.

ARSINOÉ

À quoi qu'en reprenant on soit assujettie[1],
Je ne m'attendais pas à cette repartie[2],
Madame, et je vois bien, par ce qu'elle a d'aigreur[3],
Que mon sincère avis vous a blessée au cœur.

CÉLIMÈNE

965 Au contraire, Madame ; et si l'on était sage,
Ces avis mutuels seraient mis en usage :
On détruirait par-là, traitant de bonne foi,
Ce grand aveuglement où chacun est pour soi.
Il ne tiendra qu'à vous qu'avec le même zèle
970 Nous ne continuions cet office[4] fidèle,
Et ne prenions grand soin de nous dire, entre nous,
Ce que nous entendrons, vous de moi, moi de vous.

ARSINOÉ

Ah ! Madame, de vous je ne puis rien entendre :
C'est en moi que l'on peut trouver fort à reprendre.

CÉLIMÈNE

975 Madame, on peut, je crois, louer et blâmer tout,
Et chacun a raison suivant l'âge ou le goût.
Il est une saison[5] pour la galanterie ;

---

1. **À quoi qu'en reprenant on soit assujettie** : même si l'on s'expose aux critiques en critiquant les autres.

2. **Repartie** : réponse.

3. **Aigreur** : amertume.

4. **Office** : service, aide.

5. **Saison** : période de la vie.

Il en est une aussi propre à la pruderie[1].
On peut, par politique[2], en prendre le parti,
980 Quand de nos jeunes ans l'éclat est amorti :
Cela sert à couvrir de fâcheuses disgrâces.
Je ne dis pas qu'un jour je ne suive vos traces :
L'âge amènera tout, et ce n'est pas le temps,
Madame, comme on sait, d'être prude à vingt ans.

ARSINOÉ

985 Certes, vous vous targuez[3] d'un bien faible avantage,
Et vous faites sonner terriblement votre âge.
Ce que de plus que vous on en pourrait avoir
N'est pas un si grand cas pour s'en tant prévaloir ;
Et je ne sais pourquoi votre âme ainsi s'emporte,
990 Madame, à me pousser de cette étrange sorte.

CÉLIMÈNE

Et moi, je ne sais pas, Madame, aussi pourquoi
On vous voit, en tous lieux, vous déchaîner sur moi.
Faut-il de vos chagrins[4], sans cesse, à moi vous prendre ?
Et puis-je mais[5] des soins qu'on ne va pas vous rendre ?
995 Si ma personne aux gens inspire de l'amour,
Et si l'on continue à m'offrir chaque jour
Des vœux que votre cœur peut souhaiter qu'on m'ôte,
Je n'y saurais que faire, et ce n'est pas ma faute :
Vous avez le champ libre, et je n'empêche pas
1000 Que pour les attirer vous n'ayez des appas[6].

---

1. Pruderie : sagesse.
2. Politique : calcul, ruse.
3. Vous vous targuez : vous vous prévalez, vous mettez fièrement en avant.
4. Chagrins : contrariétés, mauvaise humeur.
5. Puis-je mais : suis-je responsable.
6. Appas : charmes.

ARSINOÉ

Hélas ! et croyez-vous que l'on se mette en peine
De ce nombre d'amants[1] dont vous faites la vaine[2],
Et qu'il ne nous soit pas fort aisé de juger
À quel prix aujourd'hui l'on peut les engager[3] ?
1005 Pensez-vous faire croire, à voir comme tout roule,
Que votre seul mérite attire cette foule ?
Qu'ils ne brûlent[4] pour vous que d'un honnête amour,
Et que pour vos vertus ils vous font tous la cour ?
On ne s'aveugle point par de vaines défaites[5],
1010 Le monde n'est point dupe ; et j'en vois qui sont faites
À pouvoir inspirer de tendres sentiments,
Qui chez elles pourtant ne fixent point d'amants ;
Et de là nous pouvons tirer des conséquences,
Qu'on n'acquiert point leurs cœurs sans de grandes avances,
1015 Qu'aucun pour nos beaux yeux n'est notre soupirant,
Et qu'il faut acheter tous les soins qu'on nous rend.
Ne vous enflez donc point d'une si grande gloire
Pour les petits brillants d'une faible victoire ;
Et corrigez un peu l'orgueil de vos appas[6],
1020 De traiter pour cela les gens de haut en bas.
Si nos yeux enviaient les conquêtes des vôtres,
Je pense qu'on pourrait faire comme les autres,

---

1. **Amants** : soupirants.
2. **Dont vous faites la vaine** : dont vous êtes fière, dont vous tirez orgueil.
3. **Les engager** : faire d'eux des soupirants, les lier à soi par des sentiments amoureux.
4. **Brûlent** : ont des sentiments amoureux.
5. **Défaites** : excuses, prétextes.
6. **Appas** : voir note 6 p.73.

Ne se point ménager[1], et vous faire bien voir
Que l'on a des amants quand on en veut avoir.

CÉLIMÈNE

1025 Ayez-en donc, Madame, et voyons cette affaire :
Par ce rare secret efforcez-vous de plaire ;
Et sans…

ARSINOÉ

Brisons[2], Madame, un pareil entretien[3] :
Il pousserait trop loin votre esprit et le mien ;
Et j'aurais pris déjà le congé qu'il faut prendre[4],
1030 Si mon carrosse encor ne m'obligeait d'attendre.

CÉLIMÈNE

Autant qu'il vous plaira vous pouvez arrêter[5],
Madame, et là-dessus rien ne doit vous hâter ;
Mais, sans vous fatiguer de ma cérémonie[6],
Je m'en vais vous donner meilleure compagnie ;
1035 Et Monsieur, qu'à propos le hasard fait venir,
Remplira mieux ma place à vous entretenir[7].
Alceste, il faut que j'aille écrire un mot de lettre,
Que, sans me faire tort, je ne saurais remettre[8].

---

1. Ne se point ménager : abandonner toute retenue, sous-entendu « à l'égard des hommes ».

2. Brisons : achevons.

3. Entretien : discussion.

4. J'aurais pris déjà le congé qu'il faut prendre : je vous aurais déjà quittée, comme je dois le faire.

5. Arrêter : rester.

6. Cérémonie : politesses.

7. Vous entretenir : discuter avec vous.

8. Remettre : différer.

Soyez avec Madame : elle aura la bonté
1040 D'excuser aisément mon incivilité[1].

Scène 5

ALCESTE, ARSINOÉ

ARSINOÉ

Vous voyez, elle veut que je vous entretienne,
Attendant[2] un moment que mon carrosse vienne ;
Et jamais tous ses soins ne pouvaient m'offrir rien
Qui me fût plus charmant qu'un pareil entretien.
1045 En vérité, les gens d'un mérite sublime
Entraînent de chacun et l'amour et l'estime ;
Et le vôtre, sans doute[3], a des charmes secrets
Qui font entrer mon cœur dans tous vos intérêts.
Je voudrais que la cour, par un regard propice[4],
1050 À ce que vous valez rendît plus de justice :
Vous avez à vous plaindre, et je suis en courroux[5],
Quand je vois chaque jour qu'on ne fait rien pour vous.

ALCESTE

Moi, Madame ! Et sur quoi pourrais-je en rien prétendre ?
Quel service à l'État est-ce qu'on m'a vu rendre ?
1055 Qu'ai-je fait, s'il vous plaît, de si brillant de soi[6],
Pour me plaindre à la cour qu'on ne fait rien pour moi ?

1. **Incivilité** : impolitesse.
2. **Attendant** : en attendant.
3. **Sans doute** : sans aucun doute.
4. **Propice** : favorable.
5. **Courroux** : colère.
6. **De soi** : en soi.

ARSINOÉ

Tous ceux sur qui la cour jette des yeux propices
N'ont pas toujours rendu de ces fameux services.
Il faut l'occasion, ainsi que le pouvoir[1] ;
1060 Et le mérite enfin que vous nous faites voir
Devrait…

ALCESTE

Mon Dieu ! laissons mon mérite, de grâce ;
De quoi voulez-vous là que la cour s'embarrasse ?
Elle aurait fort à faire, et ses soins seraient grands
D'avoir à déterrer le mérite des gens.

ARSINOÉ

1065 Un mérite éclatant se déterre lui-même ;
Du vôtre, en bien des lieux, on fait un cas extrême ;
Et vous saurez de moi qu'en deux fort bons endroits
Vous fûtes hier loué par des gens d'un grand poids.

ALCESTE

Eh ! Madame, l'on loue aujourd'hui tout le monde,
1070 Et le siècle par-là n'a rien qu'on ne confonde[2] :
Tout est d'un grand mérite également doué,
Ce n'est plus un honneur que de se voir loué ;
D'éloges on regorge, à la tête on les jette,
Et mon valet de chambre est mis dans la Gazette[3].

---

1. Pouvoir : moyens.
2. Le siècle par-là n'a rien qu'on ne confonde : les gens d'aujourd'hui confondent la vertu et la médiocrité.
3. La Gazette : hebdomadaire fondé en 1631 par Théophraste Renaudot.

ARSINOÉ

1075 Pour moi, je voudrais bien que, pour vous montrer mieux,
Une charge à la cour vous pût frapper les yeux[1].
Pour peu que d'y songer vous nous fassiez les mines[2],
On peut pour vous servir remuer des machines[3],
Et j'ai des gens en main que j'emploierai pour vous,
1080 Qui vous feront à tout un chemin assez doux.

ALCESTE

Et que voudriez-vous, Madame, que j'y fisse ?
L'humeur dont je me sens veut que je m'en bannisse.
Le Ciel ne m'a point fait, en me donnant le jour,
Une âme compatible avec l'air de la cour ;
1085 Je ne me trouve point les vertus nécessaires
Pour y bien réussir et faire mes affaires.
Être franc et sincère est mon plus grand talent ;
Je ne sais point jouer[4] les hommes en parlant ;
Et qui n'a pas le don de cacher ce qu'il pense
1090 Doit faire en ce pays fort peu de résidence.
Hors de la cour, sans doute, on n'a pas cet appui,
Et ces titres d'honneur qu'elle donne aujourd'hui ;
Mais on n'a pas aussi, perdant ces avantages,
Le chagrin[5] de jouer de fort sots personnages :
1095 On n'a point à souffrir mille rebuts cruels,
On n'a point à louer les vers de Messieurs tels,

---

1. Vous pût frapper les yeux : puisse retenir votre attention.
2. Pour peu que d'y songer vous nous fassiez les mines : pour peu que vous ayez l'air d'y songer.
3. Remuer des machines : user de ruses, faire les démarches nécessaires.
4. Jouer : tromper.
5. Chagrin : déplaisir.

À donner de l'encens [1] à Madame une telle,
Et de nos francs [2] marquis essuyer la cervelle [3].

ARSINOÉ

Laissons, puisqu'il vous plaît, ce chapitre de cour ;
1100 Mais il faut que mon cœur vous plaigne en votre amour,
Et pour vous découvrir là-dessus mes pensées,
Je souhaiterais fort vos ardeurs mieux placées.
Vous méritez, sans doute, un sort beaucoup plus doux,
Et celle qui vous charme est indigne de vous.

ALCESTE

1105 Mais, en disant cela, songez-vous, je vous prie,
Que cette personne est, Madame, votre amie ?

ARSINOÉ

Oui ; mais ma conscience est blessée en effet
De souffrir [4] plus longtemps le tort que l'on vous fait ;
L'état où je vous vois afflige trop mon âme,
1110 Et je vous donne avis qu'on trahit votre flamme.

ALCESTE

C'est me montrer, Madame, un tendre mouvement,
Et de pareils avis obligent un amant [5] !

ARSINOÉ

Oui, toute mon amie [6], elle est et je la nomme
Indigne d'asservir le cœur d'un galant homme ;
1115 Et le sien n'a pour vous que de feintes douceurs.

---

1. Donner de l'encens : flatter.
2. Francs : parfaits, véritables.
3. Essuyer la cervelle : supporter les mots d'esprit.
4. Souffrir : supporter.
5. Obligent un amant : font plaisir à un homme qui aime, lui rendent service.
6. Toute mon amie : bien qu'elle soit mon amie.

ALCESTE

Cela se peut, Madame : on ne voit pas les cœurs ;
Mais votre charité se serait bien passée
De jeter dans le mien une telle pensée.

ARSINOÉ

Si vous ne voulez pas être désabusé,
1120 Il faut ne vous rien dire, il est assez aisé.

ALCESTE

Non ; mais sur ce sujet quoi que l'on nous expose,
Les doutes sont fâcheux plus que toute autre chose ;
Et je voudrais, pour moi, qu'on ne me fît savoir
Que ce qu'avec clarté l'on peut me faire voir.

ARSINOÉ

1125 Hé bien ! c'est assez dit ; et sur cette matière
Vous allez recevoir une pleine lumière.
Oui, je veux que de tout vos yeux vous fassent foi [1] :
Donnez-moi seulement la main [2] jusque chez moi ;
Là je vous ferai voir une preuve fidèle
1130 De l'infidélité du cœur de votre belle ;
Et si pour d'autres yeux le vôtre peut brûler [3],
On pourra vous offrir de quoi vous consoler.

---

1. **Vos yeux vous fassent foi** : vous puissiez être vous-même témoin.
2. **Donnez-moi seulement la main** : accompagnez-moi simplement.
3. **Brûler** : avoir des sentiments amoureux.

Acte IV

Scène première

ÉLIANTE, PHILINTE

PHILINTE

Non, l'on n'a point vu d'âme à manier si dure,
Ni d'accommodement[1] plus pénible à conclure :
En vain de tous côtés on l'a voulu tourner,
Hors de son sentiment on n'a pu l'entraîner[2] ;
Et jamais différend[3] si bizarre, je pense,
N'avait de ces Messieurs[4] occupé la prudence.
« Non, Messieurs, disait-il, je ne me dédis point,
Et tomberai d'accord de tout, hors de ce point.
De quoi s'offense-t-il ? et que veut-il me dire ?
Y va-t-il de sa gloire à ne pas bien écrire ?
Que lui fait mon avis, qu'il a pris de travers ?
On peut être honnête homme et faire mal des vers :
Ce n'est point à l'honneur que touchent ces matières ;

1135

1140

1145

___

1. **Accommodement** : arrangement, entre Alceste et Oronte.
2. **Hors de son sentiment on n'a pu l'entraîner** : on n'a pas pu le faire changer d'avis.
3. **Différend** : querelle.
4. **Ces Messieurs** : référence aux Maréchaux, qui jugent la querelle entre Alceste et Oronte.

Je le tiens[1] galant homme en toutes les manières,
Homme de qualité, de mérite et de cœur,
Tout ce qu'il vous plaira, mais fort méchant[2] auteur.
Je louerai, si l'on veut, son train[3] et sa dépense,
1150   Son adresse à cheval, aux armes, à la danse ;
Mais pour louer ses vers, je suis son serviteur[4] ;
Et lorsque d'en mieux faire on n'a pas le bonheur,
On ne doit de rimer avoir aucune envie,
Qu'on n'y soit condamné sur peine de la vie[5]. »
1155   Enfin toute la grâce et l'accommodement
Où s'est, avec effort, plié son sentiment,
C'est de dire, croyant adoucir bien son style :
« Monsieur, je suis fâché d'être si difficile,
Et pour l'amour de vous, je voudrais, de bon cœur,
1160   Avoir trouvé tantôt votre sonnet meilleur. »
Et dans une embrassade, on leur a, pour conclure,
Fait vite envelopper toute la procédure[6].

ÉLIANTE

Dans ses façons d'agir, il est fort singulier ;
Mais j'en fais, je l'avoue, un cas particulier,
1165   Et la sincérité dont son âme se pique[7]
A quelque chose, en soi, de noble et d'héroïque.

---

1. Je le tiens : je le considère comme, je le prends pour.
2. Méchant : mauvais.
3. Train : train de vie.
4. Je suis son serviteur : je refuse. Formule de politesse.
5. Et lorsque [...] la vie : et lorsqu'on n'a pas la chance d'en faire de meilleurs, on ne doit avoir aucune envie de faire des vers, sauf si l'on y est contraint, sous peine de perdre la vie.
6. Envelopper toute la procédure : mettre un terme à leur querelle.
7. Se pique : se flatte.

82

C'est une vertu rare au siècle d'aujourd'hui [1],
Et je la voudrais voir partout comme chez lui.

PHILINTE

Pour moi, plus je le vois, plus surtout je m'étonne
1170 De cette passion où son cœur s'abandonne :
De l'humeur dont le Ciel a voulu le former,
Je ne sais pas comment il s'avise d'aimer ;
Et je sais moins encor comment votre cousine
Peut être la personne où son penchant l'incline.

ÉLIANTE

1175 Cela fait assez voir que l'amour, dans les cœurs
N'est pas toujours produit par un rapport d'humeurs :
Et toutes ces raisons de douces sympathies
Dans cet exemple-ci se trouvent démenties.

PHILINTE

Mais croyez-vous qu'on [2] l'aime, aux choses qu'on peut voir ?

ÉLIANTE

1180 C'est un point qu'il n'est pas fort aisé de savoir.
Comment pouvoir juger s'il est vrai qu'elle l'aime ?
Son cœur de ce qu'il sent n'est pas bien sûr lui-même ;
Il aime quelquefois sans qu'il le sache bien,
Et croit aimer aussi parfois qu'il n'en est rien.

PHILINTE

1185 Je crois que notre ami, près de cette cousine,
Trouvera des chagrins [3] plus qu'il ne s'imagine ;

---

1. **Au siècle d'aujourd'hui** : à l'époque actuelle.
2. **On** : référence à Célimène.
3. **Chagrins** : contrariétés, sujets de mécontentement.

Et s'il avait mon cœur, à dire vérité,

Il tournerait ses vœux tout d'un autre côté,

Et par un choix plus juste, on le verrait, Madame,

1190 Profiter des bontés que lui montre votre âme.

ÉLIANTE

Pour moi, je n'en fais point de façons, et je crois

Qu'on doit, sur de tels points, être de bonne foi :

Je ne m'oppose point à toute sa tendresse ;

Au contraire, mon cœur pour elle s'intéresse ;

1195 Et si c'était qu'à moi la chose pût tenir,

Moi-même à ce qu'il aime[1] on me verrait l'unir.

Mais si dans un tel choix, comme tout se peut faire,

Son amour éprouvait quelque destin contraire,

S'il fallait que d'un autre on[2] couronnât les feux[3]

1200 Je pourrais me résoudre à recevoir ses vœux[4] ;

Et le refus souffert[5], en pareille occurrence,

Ne m'y ferait trouver aucune répugnance.

PHILINTE

Et moi, de mon côté, je ne m'oppose pas,

Madame, à ces bontés qu'ont pour lui vos appas[6] ;

1205 Et lui-même, s'il veut, il peut bien vous instruire

De ce que là-dessus j'ai pris soin de lui dire.

Mais si, par un hymen[7] qui les joindrait eux deux,

---

1. À ce qu'il aime : référence à Célimène.

2. On : référence à Célimène.

3. Feux : sentiments amoureux.

4. Vœux : discours amoureux.

5. Le refus souffert : le refus qu'Alceste aurait essuyé de la part de Célimène.

6. Appas : charmes.

7. Hymen : mariage.

Vous étiez hors d'état de recevoir ses vœux,
Tous les miens tenteraient la faveur éclatante
1210 Qu'avec tant de bonté votre âme lui présente :
Heureux si, quand son cœur s'y pourra dérober,
Elle pouvait sur moi, Madame, retomber.

ÉLIANTE

Vous vous divertissez[1], Philinte.

PHILINTE

Non, Madame,
Et je vous parle ici du meilleur de mon âme,
1215 J'attends l'occasion de m'offrir hautement[2],
Et de tous mes souhaits j'en presse le moment.

Scène 2

ALCESTE, ÉLIANTE, PHILINTE

ALCESTE, *bas.*

Ah ! faites-moi raison[3], Madame, d'une offense
Qui vient de triompher de toute ma constance.

ÉLIANTE

Qu'est-ce donc ? Qu'avez-vous qui vous puisse émouvoir ?

ALCESTE

1220 J'ai ce que sans mourir je ne puis concevoir ;
Et le déchaînement de toute la nature

---

1. **Vous vous divertissez** : vous détournez le sujet de la conversation.

2. **Hautement** : ouvertement.

3. **Faites-moi raison** : vengez-moi.

Ne m'accablerait pas comme cette aventure.
C'en est fait… Mon amour… Je ne saurais parler.

ÉLIANTE

Que votre esprit un peu tâche à se rappeler[1].

ALCESTE

1225   Ô juste Ciel ! faut-il qu'on joigne à tant de grâces
Les vices odieux des âmes les plus basses ?

ÉLIANTE

Mais encor qui vous peut… ?

ALCESTE

                    Ah ! tout est ruiné ;
Je suis, je suis trahi, je suis assassiné :
Célimène… Eût-on pu croire cette nouvelle ?
1230   Célimène me trompe et n'est qu'une infidèle.

ÉLIANTE

Avez-vous, pour le croire, un juste fondement ?

PHILINTE

Peut-être est-ce un soupçon conçu légèrement,
Et votre esprit jaloux prend parfois des chimères[2]…

ALCESTE, *à Éliante.*

Ah, morbleu[3] ! mêlez-vous, Monsieur, de vos affaires.
1235   C'est de sa trahison n'être que trop certain,
Que l'avoir, dans ma poche, écrite de sa main.
Oui, Madame, une lettre écrite pour Oronte
A produit à mes yeux ma disgrâce et sa honte :

---

1. Se rappeler : se ressaisir.
2. Prend parfois des chimères : se fait parfois des idées.
3. Morbleu : juron, atténuation de « mort de Dieu ».

Oronte, dont j'ai cru qu'elle fuyait les soins,
1240 Et que de mes rivaux je redoutais le moins.

PHILINTE

Une lettre peut bien tromper par l'apparence,
Et n'est pas quelquefois si coupable qu'on pense.

ALCESTE

Monsieur, encore un coup[1], laissez-moi, s'il vous plaît,
Et ne prenez souci que de votre intérêt.

ÉLIANTE

1245 Vous devez modérer vos transports[2], et l'outrage…

ALCESTE

Madame, c'est à vous qu'appartient cet ouvrage[3] ;
C'est à vous que mon cœur a recours aujourd'hui
Pour pouvoir s'affranchir de son cuisant ennui[4].
Vengez-moi d'une ingrate et perfide parente,
1250 Qui trahit lâchement une ardeur si constante ;
Vengez-moi de ce trait qui doit vous faire horreur.

ÉLIANTE

Moi, vous venger ! Comment ?

ALCESTE

En recevant mon cœur.
Acceptez-le, Madame, au lieu de l'infidèle :
C'est par-là que je puis prendre vengeance d'elle ;

---

1. **Encore un coup** : encore une fois.
2. **Modérer vos transports** : vous calmer.
3. **C'est à vous qu'appartient cet ouvrage** : c'est à vous de m'aider à « modérer mes transports ».
4. **Ennui** : contrariété, tourment.

1255 Et je la veux punir par les sincères vœux,
Par le profond amour, les soins respectueux,
Les devoirs empressés et l'assidu service
Dont ce cœur va vous faire un ardent sacrifice.

ÉLIANTE

Je compatis, sans doute, à ce que vous souffrez,
1260 Et ne méprise point le cœur que vous m'offrez ;
Mais peut-être le mal n'est pas si grand qu'on pense,
Et vous pourrez quitter ce désir de vengeance.
Lorsque l'injure part d'un objet plein d'appas[1],
On fait force desseins[2] qu'on n'exécute pas :
1265 On a beau voir, pour rompre, une raison puissante,
Une coupable aimée est bientôt innocente ;
Tout le mal qu'on lui veut se dissipe aisément,
Et l'on sait ce que c'est qu'un courroux d'un amant[3].

ALCESTE

Non, non, Madame, non : l'offense est trop mortelle,
1270 Il n'est point de retour, et je romps avec elle ;
Rien ne saurait changer le dessein que j'en fais,
Et je me punirais de l'estimer jamais.
La voici. Mon courroux redouble à cette approche ;
Je vais de sa noirceur lui faire un vif reproche,
1275 Pleinement la confondre, et vous porter après
Un cœur tout dégagé de ses trompeurs attraits.

---

1. **Appas** : voir note 6 p. 84.
2. **Desseins** : projets.
3. **Courroux d'un amant** : colère d'un homme qui aime.

Scène 3

CÉLIMÈNE, ALCESTE

ALCESTE, *à part*

Ô Ciel ! de mes transports[1] puis-je être ici le maître ?

CÉLIMÈNE, *à part*

Ouais[2] ! *(À Alceste)* Quel est donc le trouble où je vous vois paraître ?
Et que me veulent dire et ces soupirs poussés,
1280   Et ces sombres regards que sur moi vous lancez ?

ALCESTE

Que toutes les horreurs dont une âme est capable
À vos déloyautés n'ont rien de comparable ;
Que le sort, les démons, et le Ciel en courroux[3]
N'ont jamais rien produit de si méchant que vous.

CÉLIMÈNE

1285   Voilà certainement des douceurs que j'admire.

ALCESTE

Ah ! ne plaisantez point, il n'est pas temps de rire :
Rougissez bien plutôt, vous en avez raison ;
Et j'ai de sûrs témoins de votre trahison.
Voilà ce que marquaient les troubles de mon âme
1290   Ce n'était pas en vain que s'alarmait ma flamme ;
Par ces fréquents soupçons, qu'on[4] trouvait odieux,
Je cherchais le malheur qu'ont rencontré mes yeux ;
Et malgré tous vos soins et votre adresse à feindre,

---

1. **Transports** : émotions.
2. **Ouais** : exclamation de surprise (registre familier).
3. **Courroux** : voir note 3 p. 88.
4. **On** : référence à Célimène.

Mon astre[1] me disait ce que j'avais à craindre.

1295 Mais ne présumez pas que, sans être vengé,
Je souffre le dépit[2] de me voir outragé.
Je sais que sur les vœux on n'a point de puissance,
Que l'amour veut partout naître sans dépendance,
Que jamais par la force on n'entra dans un cœur,

1300 Et que toute âme est libre à nommer son vainqueur.
Aussi ne trouverais-je aucun sujet de plainte,
Si pour moi votre bouche avait parlé sans feinte ;
Et, rejetant mes vœux dès le premier abord,
Mon cœur n'aurait eu droit de s'en prendre qu'au sort.

1305 Mais d'un aveu trompeur voir ma flamme applaudie,
C'est une trahison, c'est une perfidie,
Qui ne saurait trouver de trop grands châtiments,
Et je puis tout permettre à mes ressentiments.
Oui, oui, redoutez tout après un tel outrage ;

1310 Je ne suis plus à moi, je suis tout à la rage :
Percé du coup mortel dont vous m'assassinez,
Mes sens par la raison ne sont plus gouvernés,
Je cède aux mouvements d'une juste colère,
Et je ne réponds pas de ce que je puis faire.

CÉLIMÈNE

1315 D'où vient donc, je vous prie, un tel emportement ?
Avez-vous, dites-moi, perdu le jugement ?

---

1. **Astre** : ce qui préside à la destinée de chacun.
2. **Dépit** : chagrin mêlé de colère.

ALCESTE

Oui, oui, je l'ai perdu, lorsque dans votre vue[1]
J'ai pris, pour mon malheur, le poison qui me tue,
Et que j'ai cru trouver quelque sincérité
1320 Dans les traîtres appas[2] dont je fus enchanté[3].

CÉLIMÈNE

De quelle trahison pouvez-vous donc vous plaindre ?

ALCESTE

Ah ! que ce cœur est double et sait bien l'art de feindre !
Mais pour le mettre à bout, j'ai des moyens tous prêts ;
Jetez ici les yeux, et connaissez vos traits[4] ;
1325 Ce billet découvert suffit pour vous confondre,
Et contre ce témoin[5] on n'a rien à répondre.

CÉLIMÈNE

Voilà donc le sujet qui vous trouble l'esprit ?

ALCESTE

Vous ne rougissez pas en voyant cet écrit ?

CÉLIMÈNE

Et par quelle raison faut-il que j'en rougisse ?

ALCESTE

1330 Quoi ? vous joignez ici l'audace à l'artifice ?
Le désavouerez-vous, pour n'avoir point de seing[6] ?

_____

1. **Dans votre vue** : à votre vue, en vous voyant.

2. **Appas** : charmes.

3. **Enchanté** : ensorcelé.

4. **Connaissez vos traits** : reconnaissez votre écriture.

5. **Témoin** : preuve.

6. **Seing** : signature.

CÉLIMÈNE

Pourquoi désavouer un billet de ma main ?

ALCESTE

Et vous pouvez le voir sans demeurer confuse
Du crime dont vers[1] moi son style[2] vous accuse ?

CÉLIMÈNE

1335 Vous êtes, sans mentir, un grand extravagant.

ALCESTE

Quoi ? vous bravez ainsi ce témoin[3] convaincant ?
Et ce qu'il m'a fait voir de douceur pour Oronte
N'a donc rien qui m'outrage, et qui vous fasse honte ?

CÉLIMÈNE

Oronte ! Qui vous dit que la lettre est pour lui ?

ALCESTE

1340 Les gens qui dans mes mains l'ont remise aujourd'hui.
Mais je veux consentir[4] qu'elle soit pour un autre :
Mon cœur en a-t-il moins à se plaindre du vôtre ?
En serez-vous vers moi moins coupable en effet ?

CÉLIMÈNE

Mais si c'est une femme à qui va ce billet,
1345 En quoi vous blesse-t-il ? et qu'a-t-il de coupable ?

---

1. Vers : envers.
2. Style : propos.
3. Témoin : voir note 4 p. 91.
4. Consentir : admettre.

ALCESTE

Ah ! le détour est bon, et l'excuse admirable.
Je ne m'attendais pas, je l'avoue, à ce trait[1],
Et me voilà, par-là, convaincu tout à fait.
Osez-vous recourir à ces ruses grossières ?

1350 Et croyez-vous les gens si privés de lumières[2] ?
Voyons, voyons un peu par quel biais, de quel air,
Vous voulez soutenir un mensonge si clair,
Et comment vous pourrez tourner pour une femme
Tous les mots d'un billet qui montre tant de flamme[3] ?

1355 Ajustez, pour couvrir un manquement de foi[4],
Ce que je m'en vais lire…

CÉLIMÈNE

Il ne me plaît pas, moi.
Je vous trouve plaisant d'user d'un tel empire[5],
Et de me dire au nez ce que vous m'osez dire.

ALCESTE

Non, non : sans s'emporter, prenez un peu souci
1360 De me justifier les termes que voici.

CÉLIMÈNE

Non, je n'en veux rien faire ; et dans cette occurrence,
Tout ce que vous croirez m'est de peu d'importance.

---

1. **Trait** : marque d'habileté, ruse.
2. **Lumières** : raison, lucidité.
3. **Flamme** : amour, passion.
4. **Manquement de foi** : trahison.
5. **Empire** : pouvoir.

93

ALCESTE

De grâce, montrez-moi, je serai satisfait,
Qu'on peut pour une femme expliquer ce billet.

CÉLIMÈNE

1365 Non, il est pour Oronte, et je veux qu'on le croie ;
Je reçois tous ses soins avec beaucoup de joie ;
J'admire ce qu'il dit, j'estime ce qu'il est,
Et je tombe d'accord de tout ce qu'il vous plaît.
Faites, prenez parti, que rien ne vous arrête,
1370 Et ne me rompez pas davantage la tête.

ALCESTE, *à part*

Ciel ! rien de plus cruel peut-il être inventé ?
Et jamais cœur fut-il de la sorte traité[1] ?
Quoi ? d'un juste courroux[2] je suis ému contre elle,
C'est moi qui me viens plaindre, et c'est moi qu'on querelle !
1375 On pousse ma douleur et mes soupçons à bout,
On me laisse tout croire, on fait gloire de tout ;
Et cependant mon cœur est encore assez lâche
Pour ne pouvoir briser la chaîne qui l'attache,
Et pour ne pas s'armer d'un généreux[3] mépris
1380 Contre l'ingrat objet dont il est trop épris !

À Célimène.

Ah ! que vous savez bien ici, contre moi-même,
Perfide[4], vous servir de ma faiblesse extrême,

---

1. *Rien* et *jamais* n'ont pas de sens négatif dans ces deux vers. Ils signifient *quelque chose* et *un jour.*
2. Courroux : colère.
3. Généreux : noble.
4. Perfide : traîtresse.

Et ménager pour vous l'excès prodigieux
De ce fatal amour né de vos traîtres yeux !
1385 Défendez-vous au moins d'un crime qui m'accable,
Et cessez d'affecter d'être envers moi coupable ;
Rendez-moi, s'il se peut, ce billet innocent :
À vous prêter les mains [1] ma tendresse consent ;
Efforcez-vous ici de paraître fidèle,
1390 Et je m'efforcerai, moi, de vous croire telle.

CÉLIMÈNE

Allez, vous êtes fou, dans vos transports jaloux,
Et ne méritez pas l'amour qu'on a [2] pour vous.
Je voudrais bien savoir qui [3] pourrait me contraindre
À descendre pour vous aux bassesses de feindre,
1395 Et pourquoi, si mon cœur penchait d'autre côté,
Je ne le dirais pas avec sincérité.
Quoi ? de mes sentiments l'obligeante assurance
Contre tous vos soupçons ne prend pas ma défense ?
Auprès d'un tel garant, sont-ils de quelque poids ?
1400 N'est-ce pas m'outrager que d'écouter leur voix ?
Et puisque notre cœur [4] fait un effort extrême
Lorsqu'il peut se résoudre à confesser qu'il aime,
Puisque l'honneur du sexe [5], ennemi de nos feux [6],
S'oppose fortement à de pareils aveux,
1405 L'amant [7] qui voit pour lui franchir un tel obstacle

---

1. À vous prêter les mains : à vous tendre la main, à vous aider.
2. Qu'on a : que j'ai.
3. Qui : ce qui.
4. Notre cœur : le cœur des femmes.
5. Sexe : sexe féminin, les femmes.
6. Feux : sentiments amoureux.
7. L'amant : homme qui aime et qui est aimé.

Doit-il impunément[1] douter de cet oracle[2] ?
Et n'est-il pas coupable en ne s'assurant pas[3]
À ce qu'on ne dit point qu'après de grands combats ?
Allez, de tels soupçons méritent ma colère,
1410 Et vous ne valez pas que l'on vous considère ;
Je suis sotte, et veux mal à ma simplicité[4]
De conserver encor pour vous quelque bonté ;
Je devrais autre part attacher mon estime,
Et vous faire un sujet de plainte légitime.

ALCESTE

1415 Ah ! traîtresse, mon faible[5] est étrange pour vous !
Vous me trompez sans doute[6] avec des mots si doux ;
Mais il n'importe, il faut suivre ma destinée :
À votre foi mon âme est toute abandonnée ;
Je veux voir, jusqu'au bout, quel sera votre cœur,
1420 Et si de me trahir il aura la noirceur.

CÉLIMÈNE

Non, vous ne m'aimez point comme il faut que l'on aime.

ALCESTE

Ah ! rien n'est comparable à mon amour extrême ;
Et dans l'ardeur qu'il a de se montrer à tous,
Il va jusqu'à former des souhaits contre vous.
1425 Oui, je voudrais qu'aucun ne vous trouvât aimable,
Que vous fussiez réduite en un sort misérable,

---

1. **Impunément** : sans qu'il y ait de conséquences.
2. **Oracle** : parole d'inspiration sacrée.
3. **En ne s'assurant pas** : en n'ayant pas confiance.
4. **Simplicité** : naïveté.
5. **Mon faible** : ma faiblesse.
6. **Sans doute** : sans aucun doute.

Que le Ciel, en naissant[1], ne vous eût donné rien,
Que vous n'eussiez ni rang, ni naissance[2], ni bien,
Afin que de mon cœur l'éclatant sacrifice
1430 Vous pût d'un pareil sort réparer l'injustice,
Et que j'eusse la joie et la gloire, en ce jour,
De vous voir tenir tout des mains de mon amour.

CÉLIMÈNE

C'est me vouloir du bien d'une étrange manière !
Me préserve le Ciel que vous ayez matière[3]... !
1435 Voici Monsieur Du Bois, plaisamment figuré[4].

Scène 4

DU BOIS, CÉLIMÈNE, ALCESTE

ALCESTE

Que veut cet équipage[5], et cet air effaré ?
Qu'as-tu ?

DU BOIS

Monsieur...

ALCESTE

Hé bien ?

---

1. En naissant : à votre naissance.

2. Naissance : noble naissance.

3. Me préserve le Ciel que vous ayez matière : que le Ciel fasse que vous n'en ayez pas l'occasion.

4. Plaisamment figuré : avec une drôle d'apparence.

5. Équipage : accoutrement.

DU BOIS

Voici bien des mystères.

ALCESTE

Qu'est-ce ?

DU BOIS

Nous sommes mal, Monsieur, dans nos affaires.

ALCESTE

Quoi ?

DU BOIS

Parlerai-je haut[1] ?

ALCESTE

Oui, parle, et promptement.

DU BOIS

1440   N'est-il point là quelqu'un… ?

ALCESTE

Ah ! que d'amusement[2] !

Veux-tu parler ?

DU BOIS

Monsieur, il faut faire retraite[3].

ALCESTE

Comment ?

DU BOIS

Il faut d'ici déloger sans trompette[4].

---

1. **Haut** : à voix haute.

2. **Amusement** : perte de temps.

3. **Faire retraite** : battre en retraite, se retirer.

4. **Déloger sans trompette** : partir discrètement.

ALCESTE

Et pourquoi ?

DU BOIS

Je vous dis qu'il faut quitter ce lieu

ALCESTE

La cause ?

DU BOIS

Il faut partir, Monsieur, sans dire adieu.

ALCESTE

1445 Mais par quelle raison me tiens-tu ce langage ?

DU BOIS

Par la raison, Monsieur, qu'il faut plier bagage.

ALCESTE

Ah ! je te casserai la tête assurément,
Si tu ne veux, maraud[1], t'expliquer autrement.

DU BOIS

Monsieur, un homme noir et d'habit et de mine
1450 Est venu nous laisser, jusque dans la cuisine,
Un papier griffonné d'une telle façon,
Qu'il faudrait, pour le lire, être pis que démon.
C'est de[2] votre procès, je n'en fais aucun doute ;
Mais le diable d'enfer, je crois, n'y verrait goutte[3].

---

1. **Maraud** : vaurien, fripon.
2. **De** : au sujet de.
3. **N'y verrait goutte** : n'y comprendrait rien.

ALCESTE

1455 Hé bien? quoi? ce papier, qu'a-t-il à démêler[1],
Traître, avec le départ dont tu viens me parler?

DU BOIS

C'est pour vous dire ici, Monsieur, qu'une heure ensuite[2],
Un homme qui souvent vous vient rendre visite
Est venu vous chercher avec empressement,
1460 Et ne vous trouvant pas, m'a chargé doucement,
Sachant que je vous sers avec beaucoup de zèle[3],
De vous dire… Attendez, comme est-ce qu'il s'appelle?

ALCESTE

Laisse là son nom, traître, et dis ce qu'il t'a dit.

DU BOIS

C'est un de vos amis enfin, cela suffit.
1465 Il m'a dit que d'ici votre péril vous chasse,
Et que d'être arrêté le sort vous y menace.

ALCESTE

Mais quoi? n'a-t-il voulu te rien spécifier?

DU BOIS

Non: il m'a demandé de l'encre et du papier,
Et vous a fait un mot, où vous pourrez, je pense,
1470 Du fond de ce mystère avoir la connaissance.

ALCESTE

Donne-le donc.

---

1. Qu'a-t-il à démêler: quel est le rapport.
2. Ensuite: après.
3. Zèle: application, dévouement.

CÉLIMÈNE
Que peut envelopper[1] ceci ?

ALCESTE
Je ne sais ; mais j'aspire à m'en voir éclairci.
Auras-tu bientôt fait, impertinent au diable[2] ?

DU BOIS, *après l'avoir longtemps cherché.*
Ma foi ! je l'ai, Monsieur, laissé sur votre table.

ALCESTE
1475 Je ne sais qui me tient[3]...

CÉLIMÈNE
Ne vous emportez pas,
Et courez démêler un pareil embarras[4].

ALCESTE
Il semble que le sort, quelque soin que je prenne,
Ait juré d'empêcher que je vous entretienne[5] ;
Mais, pour en triompher, souffrez[6] à mon amour
1480 De vous revoir, Madame, avant la fin du jour.

[handwritten annotation:] Another to delay the conclusion of the confrontation

---

1. **Envelopper** : dissimuler.
2. **Au diable** : digne d'aller au diable.
3. **Qui me tient** : ce qui me retient.
4. **Embarras** : situation confuse.
5. **Que je vous entretienne** : que je parle avec vous.
6. **Souffrez** : donnez l'autorisation, permettez.

Acte V

Scène première

ALCESTE, PHILINTE

ALCESTE

La résolution en est prise, vous dis-je.

PHILINTE

Mais, quel que soit ce coup, faut-il qu'il vous oblige ?

ALCESTE

Non : vous avez beau faire et beau me raisonner,
Rien de ce que je dis ne peut me détourner :
1485   Trop de perversité règne au siècle où nous sommes,
Et je veux me tirer du commerce[1] des hommes.
Quoi ? contre ma partie[2] on voit tout à la fois
L'honneur, la probité[3], la pudeur, et les lois ;
On publie en tous lieux l'équité de ma cause ;
1490   Sur la foi de mon droit mon âme se repose :
Cependant je me vois trompé par le succès[4],
J'ai pour moi la justice, et je perds mon procès !

---

1. **Commerce** : fréquentation.
2. **Ma partie** : mon adversaire.
3. **Probité** : honnêteté.
4. **Succès** : issue du procès.

Un traître, dont on sait la scandaleuse histoire,
Est sorti triomphant d'une fausseté noire !
1495 Toute la bonne foi cède à sa trahison !
Il trouve, en m'égorgeant, moyen d'avoir raison !
Le poids de sa grimace[1], où brille l'artifice,
Renverse le bon droit, et tourne la justice !
Il fait par un arrêt[2] couronner son forfait !
1500 Et non content encor du tort que l'on me fait,
Il court parmi le monde un livre abominable[3],
Et de qui la lecture est même condamnable,
Un livre à mériter la dernière rigueur,
Dont le fourbe a le front de me faire l'auteur !
1505 Et là-dessus, on voit Oronte qui murmure,
Et tâche méchamment d'appuyer l'imposture !
Lui, qui d'un honnête homme à la cour tient le rang,
À qui je n'ai rien fait qu'être sincère et franc,
Qui me vient, malgré moi, d'une ardeur empressée,
1510 Sur des vers qu'il a faits demander ma pensée ;
Et parce que j'en use avec honnêteté,
Et ne le veux trahir, lui ni la vérité,
Il aide à m'accabler d'un crime imaginaire !
Le voilà devenu mon plus grand adversaire !
1515 Et jamais de son cœur je n'aurai de pardon,
Pour n'avoir pas trouvé que son sonnet fût bon !
Et les hommes, morbleu[4] ! sont faits de cette sorte !

---

1. Grimace : mensonge, masque.

2. Arrêt : jugement.

3. Alceste, comme Molière au moment de la querelle du *Tartuffe*, est victime de calomnies. L'identité de l'auteur du « livre abominable » auquel il est fait allusion n'est pas connue.

4. Morbleu : juron, atténuation de « mort de Dieu ».

C'est à ces actions que la gloire les porte !
Voilà la bonne foi, le zèle vertueux,
1520 La justice et l'honneur que l'on trouve chez eux !
Allons, c'est trop souffrir les chagrins qu'on nous forge[1] :
Tirons-nous[2] de ce bois et de ce coupe-gorge.
Puisque entre humains ainsi vous vivez en vrais loups[3],
Traîtres, vous ne m'aurez de ma vie avec vous.

PHILINTE

1525 Je trouve un peu bien prompt le dessein[4] où vous êtes,
Et tout le mal n'est pas si grand que vous le faites :
Ce que votre partie[5] ose vous imputer
N'a point eu le crédit[6] de vous faire arrêter ;
On voit son faux rapport lui-même se détruire,
1530 Et c'est une action qui pourrait bien lui nuire.

ALCESTE

Lui ? De semblables tours il ne craint point l'éclat,
Il a permission d'être franc[7] scélérat ;
Et loin qu'à son crédit[8] nuise cette aventure,
On l'en verra demain en meilleure posture.

---

1. Souffrir les chagrins qu'on nous forge : supporter les contrariétés qu'on nous impose.

2. Tirons-nous : retirons-nous, sortons.

3. Allusion à la célèbre formule du philosophe Hobbes (1588-1679) « L'homme est un loup pour l'homme » (*Homo homini lupus*).

4. Dessein : projet, intention.

5. Partie : adversaire.

6. Crédit : influence, autorité.

7. Franc : parfait, véritable.

8. Crédit : considération, réputation.

PHILINTE

1535 Enfin il est constant qu'on n'a point trop donné[1]
Au bruit que contre vous sa malice a tourné :
De ce côté déjà vous n'avez rien à craindre ;
Et pour votre procès, dont vous pouvez vous plaindre,
Il vous est en justice aisé d'y revenir,
1540 Et contre cet arrêt[2]...

ALCESTE

Non : je veux m'y tenir.
Quelque sensible tort qu'un tel arrêt me fasse[3],
Je me garderai bien de vouloir qu'on le casse :
On y voit trop à plein le bon droit maltraité,
Et je veux qu'il demeure à la postérité
1545 Comme une marque insigne[4], un fameux témoignage
De la méchanceté des hommes de notre âge[5].
Ce sont vingt mille francs qu'il m'en pourra coûter ;
Mais, pour vingt mille francs, j'aurai droit de pester
Contre l'iniquité[6] de la nature humaine,
1550 Et de nourrir pour elle une immortelle haine.

PHILINTE

Mais enfin...

---

1. **Donné** : accordé d'importance.
2. **Arrêt** : jugement.
3. **Quelque sensible tort qu'un tel arrêt me fasse** : même si un tel jugement me fait vraiment du tort.
4. **Insigne** : remarquable.
5. **Âge** : époque.
6. **Iniquité** : injustice.

ALCESTE

Mais enfin, vos soins sont superflus :
Que pouvez-vous, Monsieur, me dire là-dessus ?
Aurez-vous bien le front de me vouloir en face
Excuser les horreurs de tout ce qui se passe ?

PHILINTE

1555 Non, je tombe d'accord de tout ce qu'il vous plaît :
Tout marche par cabale[1] et par pur intérêt ;
Ce n'est plus que la ruse aujourd'hui qui l'emporte,
Et les hommes devraient être faits d'autre sorte.
Mais est-ce une raison que leur peu d'équité
1560 Pour vouloir se tirer de leur société ?
Tous ces défauts humains nous donnent dans la vie
Des moyens d'exercer notre philosophie :
C'est le plus bel emploi que trouve la vertu ;
Et si de probité[2] tout était revêtu,
1565 Si tous les cœurs étaient francs, justes et dociles,
La plupart des vertus nous seraient inutiles,
Puisqu'on en met l'usage à pouvoir sans ennui[3]
Supporter, dans nos droits, l'injustice d'autrui ;
Et de même qu'un cœur d'une vertu profonde...

ALCESTE

1570 Je sais que vous parlez, Monsieur, le mieux du monde ;
En beaux raisonnements vous abondez toujours ;
Mais vous perdez le temps et tous vos beaux discours.
La raison, pour mon bien, veut que je me retire :

---

1. **Cabale** : manœuvres, intrigues.
2. **Probité** : honnêteté.
3. **Ennui** : contrariété.

Je n'ai point sur ma langue un assez grand empire[1] ;
1575 De ce que je dirais je ne répondrais pas,
Et je me jetterais cent choses sur les bras.
Laissez-moi, sans dispute, attendre Célimène :
Il faut qu'elle consente au dessein qui m'amène ;
Je vais voir si son cœur a de l'amour pour moi,
1580 Et c'est ce moment-ci qui doit m'en faire foi.

PHILINTE

Montons chez Éliante, attendant sa venue.

ALCESTE

Non : de trop de souci je me sens l'âme émue.
Allez-vous-en la voir, et me laissez enfin
Dans ce petit coin sombre, avec mon noir chagrin[2].

PHILINTE

1585 C'est une compagnie étrange pour attendre,
Et je vais obliger Éliante à descendre.

Scène 2

ORONTE, CÉLIMÈNE, ALCESTE

ORONTE

Oui, c'est à vous de voir si par des nœuds[3] si doux,
Madame, vous voulez m'attacher tout à vous.
Il me faut de votre âme une pleine assurance

---

1. **Empire** : pouvoir, maîtrise.
2. **Chagrin** : déplaisir, mécontentement.
3. **Nœuds** : liens.

1590 Un amant[1] là-dessus n'aime point qu'on balance[2].
Si l'ardeur de mes feux[3] a pu vous émouvoir,
Vous ne devez point feindre à[4] me le faire voir ;
Et la preuve, après tout, que je vous en demande,
C'est de ne plus souffrir[5] qu'Alceste vous prétende[6],
1595 De le sacrifier, Madame, à mon amour,
Et de chez vous enfin le bannir dès ce jour.

CÉLIMÈNE

Mais quel sujet si grand contre lui vous irrite,
Vous à qui j'ai tant vu parler de son mérite ?

ORONTE

Madame, il ne faut point ces éclaircissements ;
1600 Il s'agit de savoir quels sont vos sentiments.
Choisissez, s'il vous plaît, de garder l'un ou l'autre.
Ma résolution n'attend rien que la vôtre.

ALCESTE, *sortant du coin où il s'était retiré.*

Oui, Monsieur a raison : Madame, il faut choisir,
Et sa demande ici s'accorde à mon désir.
1605 Pareille ardeur me presse, et même soin m'amène ;
Mon amour veut du vôtre une marque certaine,
Les choses ne sont plus pour traîner en longueur,
Et voici le moment d'expliquer votre cœur[7].

---

1. Amant : qui aime et qui est aimé.

2. Balance : hésite.

3. Feux : sentiments amoureux.

4. Feindre à : hésiter à.

5. Souffrir : tolérer.

6. Prétende : soit votre prétendant, vous courtise.

7. Expliquer votre cœur : révéler vos sentiments.

ORONTE

Je ne veux point, Monsieur, d'une flamme importune
1610 Troubler aucunement[1] votre bonne fortune.

ALCESTE

Je ne veux point, Monsieur, jaloux ou non jaloux,
Partager de son cœur rien du tout avec vous.

ORONTE

Si votre amour au mien lui semble préférable...

ALCESTE

Si du moindre penchant elle est pour vous capable...

ORONTE

1615 Je jure de n'y rien prétendre désormais.

ALCESTE

Je jure hautement[2] de ne la voir jamais.

ORONTE

Madame, c'est à vous de parler sans contrainte.

ALCESTE

Madame, vous pouvez vous expliquer sans crainte.

ORONTE

Vous n'avez qu'à nous dire où s'attachent vos vœux[3].

ALCESTE

1620 Vous n'avez qu'à trancher, et choisir de nous deux.

ORONTE

Quoi ? sur un pareil choix vous semblez être en peine !

---

1. **Aucunement** : de quelque façon.

2. **Hautement** : explicitement, ouvertement.

3. **Vœux** : désirs.

ALCESTE

Quoi ? votre âme balance[1] et paraît incertaine !

CÉLIMÈNE

Mon Dieu ! que cette instance[2] est là hors de saison,
Et que vous témoignez, tous deux, peu de raison !
1625 Je sais prendre parti sur cette préférence,
Et ce n'est pas mon cœur maintenant qui balance :
Il n'est point suspendu, sans doute[3], entre vous deux.
Et rien n'est si tôt fait que le choix de nos vœux.
Mais je souffre, à vrai dire, une gêne[4] trop forte
1630 À prononcer en face un aveu de la sorte :
Je trouve que ces mots qui sont désobligeants
Ne se doivent point dire en présence des gens ;
Qu'un cœur de son penchant donne assez de lumière,
Sans qu'on nous fasse aller jusqu'à rompre en visière[5] ;
1635 Et qu'il suffit enfin que de plus doux témoins[6]
Instruisent un amant[7] du malheur de ses soins.

ORONTE

Non, non, un franc aveu n'a rien que j'appréhende :
J'y consens pour ma part.

ALCESTE

        Et moi, je le demande :
C'est son éclat surtout qu'ici j'ose exiger,

---

1. **Balance** : hésite.
2. **Instance** : demande, prière.
3. **Sans doute** : sans aucun doute.
4. **Gêne** : douleur, torture.
5. **Rompre en visière** : prononcer ouvertement des paroles désagréables.
6. **Témoins** : signes, preuves.
7. **Amant** : voir note 1 p. 108.

1640 Et je ne prétends point vous voir rien ménager.
Conserver tout le monde est votre grande étude ;
Mais plus d'amusement[1], et plus d'incertitude :
Il faut vous expliquer nettement là-dessus,
Ou bien pour un arrêt[2] je prends votre refus ;
1645 Je saurai, de ma part, expliquer ce silence,
Et me tiendrai pour dit tout le mal que j'en pense.

ORONTE

Je vous sais fort bon gré, Monsieur, de ce courroux[3],
Et je lui dis ici même chose que vous.

CÉLIMÈNE

Que vous me fatiguez avec un tel caprice !
1650 Ce que vous demandez a-t-il de la justice ?
Et ne vous dis-je pas quel motif me retient ?
J'en vais prendre pour juge Éliante qui vient.

Scène 3

ÉLIANTE, PHILINTE, CÉLIMÈNE, ORONTE, ALCESTE

CÉLIMÈNE

Je me vois, ma cousine, ici persécutée
Par des gens dont l'humeur y paraît concertée[4].
1655 Ils veulent l'un et l'autre, avec même chaleur,

---

1. **Amusement** : perte de temps.

2. **Arrêt** : décision.

3. **Courroux** : colère.

4. **Par des gens dont l'humeur y paraît concertée** : par des gens qui paraissent s'être concertés pour me persécuter.

Que je prononce entre eux le choix que fait mon cœur,
Et que, par un arrêt qu'en face il me faut rendre,
Je défende à l'un d'eux tous les soins qu'il peut prendre.
Dites-moi si jamais cela se fait ainsi.

ÉLIANTE

1660 N'allez point là-dessus me consulter ici :
Peut-être y pourriez-vous être mal adressée,
Et je suis pour les gens qui disent leur pensée.

ORONTE

Madame, c'est en vain que vous vous défendez.

ALCESTE

Tous vos détours ici seront mal secondés.

ORONTE

1665 Il faut, il faut parler, et lâcher la balance[1].

ALCESTE

Il ne faut que poursuivre à garder le silence[2].

ORONTE

Je ne veux qu'un seul mot pour finir nos débats.

ALCESTE

Et moi, je vous entends[3] si vous ne parlez pas.

---

1. Lâcher la balance : laisser la balance pencher du côté de l'un des prétendants, exprimer votre choix.

2. Si Célimène continuait à refuser de se prononcer, Alceste l'interprèterait comme un refus en sa direction.

3. Entends : comprends.

Scène dernière

ACASTE, CLITANDRE, ARSINOÉ, PHILINTE,
ÉLIANTE, ORONTE, CÉLIMÈNE, ALCESTE

ACASTE, *à Célimène.*

Madame, nous venons tous deux, sans vous déplaire,
1670 Éclaircir avec vous une petite affaire.

CLITANDRE, *à Oronte et à Alceste.*

Fort à propos, Messieurs, vous vous trouvez ici,
Et vous êtes mêlés dans cette affaire aussi.

ARSINOÉ, *à Célimène.*

Madame, vous serez surprise de ma vue ;
Mais ce sont ces messieurs qui causent ma venue :
1675 Tous deux ils m'ont trouvée, et se sont plaints à moi,
D'un trait [1] à qui mon cœur ne saurait prêter foi [2].
J'ai du fond de votre âme une trop haute estime,
Pour vous croire jamais capable d'un tel crime :
Mes yeux ont démenti leurs témoins les plus forts ;
1680 Et l'amitié passant sur de petits discords [3],
J'ai bien voulu chez vous leur faire compagnie,
Pour vous voir vous laver de cette calomnie.

ACASTE

Oui, Madame, voyons, d'un esprit adouci,
Comment vous vous prendrez à soutenir ceci.
1685 Cette lettre par vous est écrite à Clitandre ?

---

1. **Trait** : procédé.
2. **Prêter foi** : croire.
3. **Discords** : discordes, querelles.

CLITANDRE

Vous avez pour Acaste écrit ce billet tendre ?

ACASTE, *à Oronte et à Alceste.*

Messieurs, ces traits[1] pour vous n'ont point d'obscurité,
Et je ne doute pas que sa civilité[2]
À connaître sa main[3] n'ait trop su vous instruire ;
1690 Mais ceci vaut assez la peine de le lire.

*Vous êtes un étrange homme de condamner mon enjouement, et de
me reprocher que je n'ai jamais tant de joie que lorsque je ne suis
pas avec vous. Il n'y a rien de plus injuste ; et si vous ne venez bien
vite me demander pardon de cette offense, je ne vous la pardonnerai
de ma vie. Notre grand flandrin[4] de Vicomte...*

Il devrait être ici.

*Notre grand flandrin de Vicomte, par qui vous commencez vos plaintes,
est un homme qui ne saurait me revenir[5] ; et depuis que je l'ai vu, trois
quarts d'heure durant, cracher dans un puits pour faire des ronds, je
n'ai pu jamais prendre bonne opinion de lui. Pour le petit Marquis...*

C'est moi-même, Messieurs, sans nulle vanité.

*Pour le petit Marquis, qui me tint hier longtemps la main, je trouve
qu'il n'y a rien de si mince que toute sa personne ; et ce sont de ces mérites[6]
qui n'ont que la cape et l'épée[7]. Pour l'homme aux rubans verts[8]...*

À *Alceste.*

---

1. **Traits** : écriture.

2. **Civilité** : politesse.

3. **Connaître sa main** : reconnaître son écriture.

4. **Flandrin** : homme grand et maigre, dadais.

5. **Qui ne saurait me revenir** : que je ne saurais tenir en estime.

6. **Mérites** : gens de mérite.

7. **Qui n'ont que la cape et l'épée** : qui n'ont que les signes extérieurs du mérite.

8. **L'homme aux rubans verts** : référence à Alceste, qui apparaissait sur scène avec un costume vert.

À vous le dé[1], Monsieur.

> *Pour l'homme aux rubans verts, il me divertit quelquefois avec ses brusqueries et son chagrin bourru[2] ; mais il est cent moments où je le trouve le plus fâcheux du monde. Et pour l'homme à la veste[3]…*

À Oronte.

Voici votre paquet[4].

> *Et pour l'homme à la veste, qui s'est jeté dans le bel esprit et veut être auteur malgré tout le monde, je ne puis me donner la peine d'écouter ce qu'il dit ; et sa prose me fatigue autant que ses vers. Mettez-vous donc en tête que je ne me divertis pas toujours si bien que vous pensez ; que je vous trouve à dire[5] plus que je ne voudrais, dans toutes les parties[6] où l'on m'entraîne, et que c'est un merveilleux assaisonnement aux plaisirs qu'on goûte que la présence des gens qu'on aime.*

CLITANDRE

Me voici maintenant moi.

> *Votre Clitandre dont vous me parlez, et qui fait tant le doucereux, est le dernier des hommes pour qui j'aurais de l'amitié. Il est extravagant de se persuader qu'on l'aime ; et vous l'êtes de croire qu'on ne vous aime pas. Changez, pour être raisonnable, vos sentiments contre les siens ; et voyez-moi le plus que vous pourrez pour m'aider à porter le chagrin d'en être obsédée[7].*

D'un fort beau caractère[8] on voit là le modèle,

---

1. **À vous le dé :** à votre tour.
2. **Bourru :** peu aimable.
3. **L'homme à la veste :** référence à Oronte.
4. **Voici votre paquet :** voici les critiques qui vous sont destinées.
5. **Que je vous trouve à dire :** que je regrette votre absence.
6. **Parties :** divertissements.
7. **Obsédée :** courtisée.
8. **Caractère :** type humain dont on peut faire le portrait.

Madame, et vous savez comment cela s'appelle ?
Il suffit : nous allons l'un et l'autre en tous lieux
Montrer de votre cœur le portrait glorieux.

ACASTE

1695 J'aurais de quoi vous dire, et belle est la matière ;
Mais je ne vous tiens pas digne de ma colère ;
Et je vous ferai voir que les petits marquis
Ont, pour se consoler, des cœurs du plus haut prix.

ORONTE

Quoi ? de cette façon je vois qu'on me déchire,
1700 Après tout ce qu'à moi je vous ai vu m'écrire !
Et votre cœur, paré de beaux semblants d'amour,
À tout le genre humain se promet tour à tour !
Allez, j'étais trop dupe, et je vais ne plus l'être.
Vous me faites un bien, me faisant vous connaître :
1705 J'y profite d'un cœur qu'ainsi vous me rendez[1],
Et trouve ma vengeance en ce que vous perdez.

                                    À Alceste.

Monsieur, je ne fais plus d'obstacle à votre flamme,
Et vous pouvez conclure affaire avec Madame.

ARSINOÉ, *à Célimène.*

Certes, voilà le trait du monde le plus noir ;
1710 Je ne m'en saurais taire, et me sens émouvoir.
Voit-on des procédés qui soient pareils aux vôtres ?
Je ne prends point de part aux intérêts des autres ;

                                    Montrant Alceste.

---

1. Oronte considère que la situation, paradoxalement, lui sera favorable : il est à nouveau libre d'accorder son amour à une autre, car il ne se sent plus engagé à l'égard de Célimène.

Mais Monsieur, que chez vous fixait votre bonheur,
Un homme comme lui, de mérite et d'honneur,
1715 Et qui vous chérissait avec idolâtrie[1],
Devait-il[2]... ?

ALCESTE

Laissez-moi, Madame, je vous prie,
Vuider mes intérêts moi-même là-dessus,
Et ne vous chargez point de ces soins superflus.
Mon cœur a beau vous voir prendre ici sa querelle[3],
1720 Il n'est point en état de payer ce grand zèle :
Et ce n'est pas à vous que je pourrai songer,
Si par un autre choix je cherche à me venger.

ARSINOÉ

Hé ! croyez-vous, Monsieur, qu'on ait cette pensée,
Et que de vous avoir on soit tant empressée ?
1725 Je vous trouve un esprit bien plein de vanité,
Si de cette créance[4] il peut s'être flatté.
Le rebut de Madame est une marchandise
Dont on aurait grand tort d'être si fort éprise.
Détrompez-vous, de grâce, et portez-le moins haut[5] :
1730 Ce ne sont pas des gens comme moi qu'il vous faut ;
Vous ferez bien encor de soupirer pour elle,
Et je brûle de voir une union si belle.

Elle se retire.

---

1. **Idolâtrie** : adoration.
2. **Devait-il** : aurait-il dû.
3. **Prendre ici sa querelle** : défendre sa cause dans ce cas.
4. **Créance** : croyance.
5. **Portez-le moins haut** : soyez plus modeste.

ALCESTE, *à Célimène.*

Hé bien ! je me suis tu, malgré ce que je vois,
Et j'ai laissé parler tout le monde avant moi :
1735 Ai-je pris sur moi-même un assez long empire[1],
Et puis-je maintenant… ?

CÉLIMÈNE

She confesses
but doesn't
apologise

Oui, vous pouvez tout dire :
Vous en êtes en droit, lorsque vous vous plaindrez,
Et de me reprocher tout ce que vous voudrez.
J'ai tort, je le confesse, et mon âme confuse
1740 Ne cherche à vous payer d'aucune vaine excuse.
J'ai des autres ici méprisé le courroux[2],
Mais je tombe d'accord de mon crime envers vous.
Votre ressentiment, sans doute[3], est raisonnable[4] :
Je sais combien je dois vous paraître coupable,
1745 Que toute chose dit que j'ai pu vous trahir,
Et qu'enfin vous avez sujet de me haïr.
Faites-le, j'y consens.

ALCESTE

Hé ! le puis-je, traîtresse ?
Puis-je ainsi triompher de toute ma tendresse ?
Et quoique avec ardeur je veuille vous haïr,
1750 Trouvé-je un cœur en moi tout prêt à m'obéir ?
À Éliante et Philinte.

---

1. **Empire** : pouvoir, maîtrise.
2. **Courroux** : colère.
3. **Sans doute** : sans aucun doute.
4. **Raisonnable** : explicable, justifié.

Vous voyez ce que peut une indigne tendresse,
Et je vous fais tous deux témoins de ma faiblesse.
Mais, à vous dire vrai, ce n'est pas encor tout,
Et vous allez me voir la pousser jusqu'au bout,
1755 Montrer que c'est à tort que sages on nous nomme,
Et que dans tous les cœurs il est toujours de l'homme[1].

À Célimène.

Oui, je veux bien, perfide[2], oublier vos forfaits ;
J'en saurai, dans mon âme, excuser tous les traits,
Et me les couvrirai du nom d'une faiblesse
1760 Où le vice du temps porte votre jeunesse,
Pourvu que votre cœur veuille donner les mains
Au dessein[3] que j'ai fait de fuir tous les humains,
Et que dans mon désert[4], où j'ai fait vœu de vivre,
Vous soyez, sans tarder, résolue à me suivre :
1765 C'est par là seulement que, dans tous les esprits,
Vous pouvez réparer le mal de vos écrits,
Et qu'après cet éclat[5], qu'un noble cœur abhorre[6],
Il peut m'être permis de vous aimer encore.

CÉLIMÈNE

Moi, renoncer au monde avant que de vieillir,
1770 Et dans votre désert aller m'ensevelir !

---

1. Il est toujours de l'homme : il y a toujours des sentiments d'humanité, une certaine faiblesse.

2. Perfide : traîtresse.

3. Dessein : projet, intention.

4. Désert : lieu retiré, éloigné de l'agitation urbaine.

5. Éclat : scandale.

6. Abhorre : déteste.

ALCESTE

Et s'il faut qu'à mes feux votre flamme réponde[1],
Que vous doit importer tout le reste du monde ?
Vos désirs avec moi ne sont-ils pas contents[2] ?

CÉLIMÈNE

La solitude effraye une âme de vingt ans :
1775 Je ne sens point la mienne assez grande, assez forte,
Pour me résoudre à prendre un dessein de la sorte.
Si le don de ma main peut contenter vos vœux,
Je pourrai me résoudre à serrer de tels nœuds[3] :
Et l'hymen[4]...

ALCESTE

Non : mon cœur à présent vous déteste,
1780 Et ce refus lui seul fait plus que tout le reste.
Puisque vous n'êtes point, en des liens si doux,
Pour[5] trouver tout en moi, comme moi tout en vous,
Allez, je vous refuse, et ce sensible outrage
De vos indignes fers pour jamais me dégage.

Célimène se retire, et Alceste parle à Éliante.

1785 Madame, cent vertus ornent votre beauté,
Et je n'ai vu qu'en vous de la sincérité ;
De vous, depuis longtemps, je fais un cas extrême ;
Mais laissez-moi toujours vous estimer de même ;
Et souffrez que mon cœur, dans ses troubles divers,

---

1. Qu'à mes feux votre flamme réponde : que votre amour réponde au mien,
que vous partagiez mes sentiments.
2. Contents : satisfaits.
3. Nœuds : liens.
4. Hymen : mariage.
5. Pour : favorable à, capable de.

1790   Ne se présente point à l'honneur de vos fers :
        Je m'en sens trop indigne, et commence à connaître[1]
        Que le Ciel pour ce nœud ne m'avait point fait naître ;
        Que ce serait pour vous un hommage trop bas
        Que le rebut d'un cœur qui ne vous valait pas ;
1795   Et qu'enfin…

                        ÉLIANTE

                Vous pouvez suivre cette pensée :
        Ma main de se donner n'est pas embarrassée ;
        Et voilà votre ami, sans trop m'inquiéter,
        Qui, si je l'en priais, la pourrait accepter.

                        PHILINTE

        Ah ! cet honneur, Madame, est toute mon envie,
1800   Et j'y sacrifierais et mon sang et ma vie.

                        ALCESTE

        Puissiez-vous, pour goûter de vrais contentements,
        L'un pour l'autre à jamais garder ces sentiments !
        Trahi de toutes parts, accablé d'injustices,
        Je vais sortir d'un gouffre où triomphent les vices,
1805   Et chercher sur la terre un endroit écarté
        Où d'être homme d'honneur on ait la liberté.

                        PHILINTE

        Allons, Madame, allons employer toute chose[2],
        Pour rompre le dessein[3] que son cœur se propose.

_____

1. **Connaître** : réaliser, me rendre compte.
2. **Employer toute chose** : user de tous les moyens possibles.
3. **Dessein** : voir note 3 p. 119.

Anthologie
sur l'honnête homme

« L'honnêteté » est une question essentielle à l'âge classique, que Molière a placée au cœur de sa réflexion dans *Le Misanthrope* : Alceste combat en effet « l'art de plaire à la Cour », sur lequel repose l'idéal d'« honnêteté », qu'il accuse d'être à l'origine de la corruption des temps. « L'honnête homme » incarne toutefois, à l'origine, un idéal. S'il n'est pas de noble naissance, il doit au moins avoir les mérites de la noblesse. La plupart du temps, il vit à la Cour et possède toutes les qualités susceptibles de le rendre agréable en société. Il est élégant, raffiné et courtois. Par des exercices physiques appropriés, hérités des traditions chevaleresques, il a appris à maîtriser son corps. Il sait également dominer ses passions, en particulier son amour-propre. L'art de la conversation consiste pour lui à faire montre de son esprit, tout en laissant à son interlocuteur la possibilité de se mettre en valeur.

« L'honnête homme » est à l'aise avec le langage, car il est cultivé. Il possède des connaissances sur tous les domaines. Mais il n'est pas pédant. Le savoir ne justifie pas pour lui la prétention ou le mépris d'autrui. « L'honnête homme » veut séduire ses interlocuteurs, en s'adaptant avec souplesse à leurs goûts et à leur tempérament, sans les flatter. Il recherche le naturel, qui est le fruit de son infaillible maîtrise de lui-même. Il incarne un idéal social et moral, un équilibre entre l'âme et le corps, la raison et les passions. Cet idéal a-t-il survécu à la fin de la monarchie absolue ?

■ Aux origines de la définition de l'« honnêteté » à l'âge classique

Baldassar Castiglione (1478-1529), dans *Le Livre du courtisan*, décrit la Cour d'Urbino, l'une des plus brillantes d'Italie. Il présente un modèle d'homme de Cour, à travers les discussions des courtisans eux-mêmes. *L'Honnête Homme ou l'art de plaire à la Cour* de Nicolas Faret (1596-1646) s'en inspire. L'œuvre connaît un vif succès et impose en France la figure de « l'honnête homme », à la fois adapté aux exigences de la sociabilité et vertueux.

Texte 1

MANUEL DE SAVOIR-VIVRE

BALDASSAR CASTIGLIONE, *Le Livre du courtisan* (1528) ♦ livre premier, XXVI

Dans son œuvre, traduite de l'italien et inspirée par l'idéal humaniste, Castiglione définit le parfait courtisan. Celui-ci doit être un gentilhomme, maître de son corps et de son esprit. Il possède une forme de grâce qui lui attire les faveurs d'autrui. Cette qualité essentielle est le fruit d'une maîtrise de l'artifice (sprezzatura, en italien), qui donne l'illusion de la spontanéité et du naturel.

Quiconque veut donc être un bon disciple doit non seulement faire bien les choses, mais aussi toujours mettre toute son application à ressembler à son maître, et, si c'est possible, à se transformer en lui.

Et quand il sent déjà avoir fait profit, il lui est très utile de voir
5 et de pratiquer de nombreux hommes de cette profession, et, se gouvernant par le bon jugement qu'il doit toujours avoir pour guide, d'aller de l'un à l'autre en choisissant chez chacun des choses différentes. Et comme l'abeille dans les prés verdoyants va toujours cueillant les fleurs parmi les herbes, ainsi notre Courtisan doit
10 cueillir et voler cette grâce à ceux qui lui sembleront la posséder, et prendre à chacun ce qui chez lui est le plus louable, en ne faisant pas comme un de nos amis, que vous connaissez tous, qui croyait

ressembler beaucoup au roi Ferdinand le Jeune d'Aragon[1], et qui s'attachait à l'imiter uniquement en levant souvent la tête et en tordant un coin de sa bouche, ce qui était une habitude que le roi avait contractée à la suite d'une maladie.

Et de ceux-là il y en a un grand nombre, qui pensent faire beaucoup en ressemblant en quelque chose à un grand personnage ; et souvent ils s'attachent à la seule chose qui est mauvaise chez celui-ci.

Mais j'ai déjà souvent réfléchi sur l'origine de cette grâce, et, si on laisse de côté ceux qui la tiennent de la faveur du ciel, je trouve qu'il y a une règle très universelle, qui me semble valoir plus que toute autre sur ce point pour toutes les choses humaines que l'on fait ou que l'on dit, c'est qu'il faut fuir, autant qu'il est possible, comme un écueil très acéré et dangereux, l'affectation[2], et, pour employer peut-être un mot nouveau, faire preuve en toute chose d'une certaine désinvolture, qui cache l'art et qui montre que ce que l'on a fait et dit est venu sans peine et presque sans y penser.

C'est de là, je crois, que dérive surtout la grâce ; car chacun sait la difficulté des choses rares et bien faites, si bien que la facilité en elles engendre une grande admiration. Et au contraire, faire des efforts et, comme l'on dit, tirer par les cheveux, donne beaucoup de disgrâce[3], et fait qu'une chose, aussi grande soit-elle, ne mérite pas l'estime.

Pour cette raison, on peut dire que le véritable art est celui qui ne paraît pas être de l'art, et on doit par-dessus tout s'efforcer de le cacher, car, s'il est découvert, il ôte entièrement le crédit[4] et fait que l'on est peu estimé.

Texte 2

MANUEL DE SAVOIR-VIVRE

NICOLAS FARET, *L'Honnête Homme ou l'art de plaire à la Cour* (1630)

Nicolas Faret, héritier de Castiglione avec L'Honnête Homme ou l'art de plaire à la Cour *(1630), considère lui aussi que le courtisan*

---

1. Ferdinand II d'Aragon (1469-1496), roi de Naples.

2. Affectation : absence de naturel.

3. Disgrâce : contraire de la « grâce ».

4. Crédit : considération, respect.

doit pratiquer un certain nombre d'exercices physiques et paraître à l'aise dans la conversation, pour s'adapter aux exigences de la société de Cour.

Toutes les bonnes parties que nous avons alléguées[1] sont très considérables en un gentilhomme, mais le comble de ces choses consiste en une certaine grâce naturelle, qui en tous les exercices, et jusques à ses moindres actions doit reluire comme un petit rayon de divinité, qui se voit en tous ceux qui sont nés pour plaire dans le monde. Ce point est si haut qu'il est au-dessus des préceptes de l'art, et ne se saurait bonnement enseigner : tout le conseil qui se peut donner en cela, c'est que ceux qui ont un bon jugement pour règle de leur conduite, s'ils ne se sentent doués de ce sublime don de nature, tâchent du moins à réparer ce manquement par l'imitation des plus parfaits exemples, et de ceux qui auront l'approbation générale.

Faret énonce une règle essentielle qui ne permet pas d'acquérir la « grâce », mais qui évite de s'en éloigner.

C'est de fuir comme un précipice mortel cette malheureuse et importune affection, qui ternit et fouille les plus belles choses, et d'user partout d'une certaine négligence qui cache l'artifice, et témoigne que l'on ne sait rien que comme sans y penser, et sans aucune sorte de peine.

Pour Faret, l'honnête homme peut séduire, mais il doit respecter les femmes.

À cela il faut ajouter que sans elles[2] les plus belles cours du monde demeureraient tristes et languissantes, sans ornement, sans splendeur, sans joie et sans aucune sorte de galanterie. Et il faut avouer que c'est leur seule présence qui réveille les esprits et pique la générosité de tous ceux qui en ont quelques sentiments. Cela étant véritable, comme certainement il est, quels hommes assez stupides pourraient refuser des respects et des honneurs à celles qui leur

---

1. Alléguées : mises en avant, mentionnées.
2. Les femmes.

25 donnent de la gloire, ou du moins qui lui inspirent le désir d'en acquérir ? Or ces respects consistent en une certaine expression d'humilité et de révérence [1] par gestes ou par paroles, qui témoignent une extraordinaire estime que nous faisons des personnes envers qui nous en usons.

■ L'« honnêteté » : modèles et contre-modèles

« L'honnête homme » incarne un idéal, souvent bien éloigné de la pratique sociale et des véritables mérites des hommes du monde. Les contre-modèles que présente la littérature ne font toutefois qu'affirmer le modèle : celui d'un homme intelligent et séduisant, qui sait habilement se mettre en scène sur le théâtre du monde, sans céder aux tentations de l'orgueil ou de la flatterie.

Texte 3

ROMAN

CHARLES SOREL, *Histoire comique de Francion* (1633)

Francion, personnage principal du roman de Sorel (1599 ?-1674) entend faire la démonstration que la valeur ne suppose ni d'être noble, ni d'être savant. L'œuvre décrit avec sévérité les courtisans, davantage caractérisés par leur bêtise et leur vulgarité que par leur « honnêteté ».

Il y avait là force courtisans [2] qui désiraient savoir ce que je portais, et comme ils voient ces papiers bien pliés en long ainsi que pourrait être du linge, il y en avait de si ignorants qu'ils me venaient demander : « Le roi va-t-il souper ? Sont-ce là des serviettes que tu

5 portes ? » Je leur répondis que c'étaient des vers pour le ballet ; alors un, qui faisait l'entendu, s'en vint dire : « Ce sont des placards [3] », et à toutes les fois que je passais et repassais pour chercher quelque place à me mettre, il y en avait un autre qui disait

---

1. **Révérence** : respect.

2. **Force courtisans** : un grand nombre de courtisans.

3. **Placards** : écrits polémiques que l'on affiche publiquement.

niaisement et pensant dire un bon mot : « Ce sont des papiers,
10 voilà des papiers ! » Ces paroles étaient accompagnées d'un mépris
qui me fit connaître que quelque chose de bien fait que pussent voir
ces brutaux, ils prenaient tout pour des rogatons[1], et que les
sciences[2] leur étaient si fort en horreur qu'ils avaient mal au cœur
quand ils voyaient seulement un papier, et en tiraient le sujet de
15 leurs moqueries. Mais quoi que ce soit, mes papiers me servirent
bien en ce que n'y ayant là que les quatre murailles, je m'assis
dessus, et je voyais beaucoup de seigneurs debout qui enfin, ne
sachant plus quelle contenance tenir, étaient contraints de s'asseoir
sur leur cul comme des singes.

L'œuvre met également en évidence le ridicule d'Hortensius, un
pédant, dont l'attitude s'oppose radicalement à l'idéal classique de
l'« honnête homme ».

20   Mon maître de chambre[3] était un jeune homme glorieux et
impertinent au possible. Il se faisait appeler Hortensius par
excellence, comme s'il fût descendu de cet ancien orateur qui vivait
à Rome du temps de Cicéron[4], ou comme si son éloquence eût été
pareille à la sienne. Son nom était, je pense, Le Heurteur, mais il
25 l'avait voulu déguiser afin qu'il eût quelque chose de romain et que
l'on crût que la langue latine lui était comme maternelle. Ainsi,
plusieurs auteurs de notre siècle ont sottement habillé leurs noms à
la romanesque[5] et les ont fait terminer en « us » afin que leurs livres
aient plus d'éclat et que les ignorants les croient être composés par
30 des anciens personnages. Je ne veux point nommer ces pédants-là ;
il ne faut qu'aller à la rue Saint-Jacques[6], l'on y verra leurs œuvres et
l'on y apprendra qui ils sont.

---

1. Rogatons : restes, ouvrages dignes du rebut.

2. Sciences : connaissances (sens large).

3. Maître de chambre : surveillant de collège.

4. Cicéron : orateur latin (106-43 av. J.-C.).

5. Habillé leurs noms à la romanesque : donné à leurs noms des consonances
latines (une terminaison en « us », par imitation de certains noms latins).

6. Rue Saint-Jacques : rue des libraires et des imprimeurs à Paris.

Mais encore que notre maître commît une semblable sottise et qu'il eût beaucoup de vices insupportables, tout ce que nous étions d'écoliers, nous n'en recevions pas d'affliction : comme de voir sa très étroite chicheté[1] qui lui faisait épargner la plus grande partie de notre pension pour ne nous nourrir que de regardeaux[2]. J'appris alors, à mon grand regret, que toutes les paroles qui expriment les malheurs qui arrivent aux écoliers se commencent par un P, avec une fatalité très remarquable : car il y a pédant[3], peine, peur, punition, prison, pauvreté, petite portion, poux, puces et punaises, avec encore bien d'autres, pour chercher lesquelles il faudrait avoir un dictionnaire et bien du loisir[4].

Texte 4

DISCOURS

LE CHEVALIER DE MÉRÉ, *Discours* ♦ « Des agréments » (1671-1677)

Le chevalier de Méré (1607-1684) est l'un des modèles de l'honnête homme. Dans son œuvre, il expose avec naturel, sur le ton de la conversation, des règles de comportement pour celui qui entend se montrer agréable en société.

Ce qui fait le plus souvent qu'on déplaît, c'est qu'on cherche à plaire et qu'on en prend le contre-pied. Cette remarque est vraie en toutes les choses du monde ; car ce dessein de plaire et je ne sais quelle curiosité qui tend à cela, mais qui n'en connaît pas les moyens, est pour l'ordinaire ce qui choque le plus. Dire de bons mots qui ne sont pas bons, user de belles façons de parler qui ne sont pas belles, faire de mauvaises railleries, se parer de faux ornements et s'ajuster de mauvaise grâce, on voit bien que cela ne tend qu'à divertir ou qu'à se rendre agréable : et c'est la plus sûre voie pour se faire moquer de soi. Le meilleur avis qu'on puisse prendre, c'est de

---

1. **Chicheté** : avarice, méprisable souci d'économie.
2. **Ne nous nourrir que de regardeaux** : ne rien nous donner à manger.
3. **Pédant** : faux savant, caractérisé par sa prétention.
4. **Loisir** : temps disponible.

ne rechercher que ce qu'on est assuré qui sied [1] bien. Encore ne faut-il pas qu'il y paraisse d'affectation [2]. Il y a peu de femmes qui s'y connaissent. Celle-ci veut être plus blanche que la parfaite beauté ne le souffre, et si elle était un peu rembrunie, on l'en trouverait plus aimable. Cette autre croirait charmer le monde si elle pouvait devenir plus douce, plus retenue et plus enfant qu'une poupée ; et la plupart, pour être de bonne compagnie, ne cherchent que les manières de la cour. Mais ces manières, quand elles sont sans esprit, sont plus lassantes que celles de la campagne.

J'en connais aussi qui veulent trop de parure et qui sont plus aise [3] d'être riches que belles. Les grands ornements nuisent quelquefois à la beauté. Quand une belle femme est si parée, on n'en connaît bien que les habits et les pierreries, du moins c'est ce qu'on a le plus regardé. Ce n'est pas juger de ce qui serait le plus avantageux, et je suis assuré qu'un excellent peintre qui saurait le plus fin du métier n'en userait pas de la sorte s'il voulait faire aimer la beauté d'une femme ou d'une déesse, et qu'il se garderait bien de mettre sur sa personne ni même dans le tableau rien de trop éclatant qui pût attacher la vue ou la pensée.

Texte 5

ROMAN

MADAME DE LA FAYETTE, *La Princesse de Clèves* (1678)

La Princesse de Clèves est un roman de Madame de La Fayette (1634-1693), qui se déroule à la Cour. M. de Nemours, qui inspire à Mme de Clèves une passion partagée, mais impossible, est le modèle du parfait gentilhomme.

Mais [M. de Nemours] était un chef-d'œuvre de la nature ; ce qu'il avait de moins admirable, c'était d'être l'homme du monde le mieux fait et le plus beau. Ce qui le mettait au-dessus des autres était une valeur incomparable, et un agrément dans son esprit, dans son

---

1. Sied : convient.

2. Affectation : artifice, absence de naturel.

3. Aise : satisfaites.

5 visage et dans ses actions que l'on n'a jamais vu qu'à lui seul ; il avait
un enjouement qui plaisait également aux hommes et aux femmes,
une adresse extraordinaire dans tous ses exercices, une manière de
s'habiller qui était toujours suivie de tout le monde, sans pouvoir
être imitée, et enfin un air dans toute sa personne qui faisait qu'on
10 ne pouvait regarder que lui dans tous les lieux où il paraissait. Il n'y
avait aucune dame dans la cour dont la gloire n'eût été flattée de le
voir attaché à elle ; peu de celles à qui il s'était attaché se pouvaient
vanter de lui avoir résisté, et même plusieurs à qui il n'avait point
témoigné de passion n'avaient pas laissé d'en avoir pour lui. Il avait
15 tant de douceur et de disposition à la galanterie qu'il ne pouvait
refuser quelques soins à celles qui tâchaient de lui plaire : ainsi il
avait plusieurs maîtresses, mais il était difficile de deviner celle qu'il
aimait véritablement.

*Le comportement de l'honnête homme est guidé par la raison, la
recherche d'un juste milieu nécessaire à une vie personnelle et sociale
équilibrée. L'amour est une passion qui vient perturber, par son
irrépressible violence, le personnage que M. de Nemours s'est construit.*

Sitôt que la nuit fut venue, il[1] entendit marcher, et quoiqu'il fît
20 obscur, il reconnut aisément M. de Nemours. Il le vit faire le tour du
jardin, comme pour écouter s'il n'y entendrait personne et pour
choisir le lieu par où il pourrait passer le plus aisément. Les palissades
étaient fort hautes, et il y en avait encore derrière pour empêcher
qu'on ne pût entrer ; en sorte qu'il était assez difficile de se faire
25 passage. M. de Nemours en vint à bout néanmoins ; sitôt qu'il fut
dans ce jardin, il n'eut pas de peine à démêler où était Mme de
Clèves. Il vit beaucoup de lumières dans le cabinet ; toutes les
fenêtres en étaient ouvertes et, en se glissant le long des palissades, il
s'en approcha avec un trouble et une émotion qu'il est aisé de se
30 représenter. Il se rangea derrière une des fenêtres, qui servaient de
porte, pour voir ce que faisait Mme de Clèves. Il vit qu'elle était
seule ; mais il la vit d'une si admirable beauté qu'à peine fut-il maître
du transport que lui donna cette vue. Il faisait chaud et elle n'avait

---

1. Il s'agit d'un gentilhomme, chargé par M. de Clèves de surveiller M. de Nemours.

rien sur sa tête et sur sa gorge que ses cheveux confusément rattachés.
35 Elle était sur un lit de repos avec une table devant elle, où il y avait
plusieurs corbeilles pleines de rubans ; elle en choisit quelques-uns, et
M. de Nemours remarqua que c'étaient des mêmes couleurs qu'il
avait portées au tournoi[1]. Il vit qu'elle en faisait des nœuds à une
canne des Indes, fort extraordinaire, qu'il avait portée quelque temps
40 et qu'il avait donnée à sa sœur, à qui Mme de Clèves l'avait prise sans
faire semblant de la reconnaître pour avoir été à M. de Nemours.
Après qu'elle eut achevé son ouvrage avec une grâce et une douceur
que répandaient sur son visage les sentiments qu'elle avait dans le
cœur, elle prit un flambeau et s'en alla proche d'une grande table,
45 vis-à-vis du tableau du siège de Metz où était le portrait de M. de
Nemours. Elle s'assit et se mit à regarder ce portrait avec une
attention et une rêverie que la passion seule peut donner.

ESSAI

Texte 6

CLAUDE-ADRIEN HELVÉTIUS, *De l'Esprit* (1758) ♦ Discours II, chapitre VI,
Des moyens de s'assurer de la vertu

*Claude-Adrien Helvétius (1715-1771), philosophe des Lumières,
montre que la politesse de l'honnête homme, dont la flatterie est
l'expression certes la moins noble, mais sans doute la plus fréquente,
est un soutien à la tyrannie.*

La vérité est ordinairement trop mal accueillie des princes et des
grands, pour séjourner longtemps dans les cours. Comment
habiterait-elle un pays où la plupart de ceux qu'on appelle les
honnêtes gens, habitués à la bassesse et à la flatterie, donnent et
5 doivent réellement donner à ces vices le nom d'usage du monde ?
L'on aperçoit difficilement le crime où se trouve l'utilité. Qui doute
cependant que certaines flatteries ne soient plus dangereuses et par
conséquent plus criminelles aux yeux d'un prince ami de la gloire,
que des libelles[2] faits contre lui ? Non que je prenne ici le parti des

---

1. Tournoi : combat entre aristocrates, destiné à éprouver la valeur de chacun.
2. Libelles : écrits polémiques, satiriques.

10 libelles : mais enfin une flatterie peut, à son insu détourner un bon prince du chemin de la vertu, lorsqu'un libelle peut quelquefois y ramener un tyran. Ce n'est souvent que par la bouche de la licence [1] que les plaintes des opprimés peuvent s'élever jusqu'au trône. Mais l'intérêt cachera toujours de pareilles vérités aux sociétés particulières 15 de la cour. Ce n'est, peut-être, qu'en vivant loin de ces sociétés qu'on peut se défendre des illusions qui les séduisent. Il est du moins certain que, dans ces mêmes sociétés, on ne peut conserver une vertu toujours forte et pure, sans avoir habituellement présent à l'esprit le principe de l'utilité publique, sans avoir une connaissance profonde 20 des véritables intérêts de ce public, par conséquent de la morale et de la politique. La parfaite probité [2] n'est jamais le partage de la stupidité ; une probité sans lumières n'est, tout au plus, qu'une probité d'intention, pour laquelle le public n'a et ne doit effectivement avoir aucun égard, 1 parce qu'il n'est point juge des intentions ; 25 2 parce qu'il ne prend, dans ses jugements, conseil que de son intérêt. S'il soustrait à la mort celui qui par malheur tue son ami à la chasse, ce n'est pas seulement à l'innocence de ses intentions qu'il fait grâce, puisque la loi condamne au supplice la sentinelle qui s'est involontairement laissé surprendre au sommeil. Le public ne 30 pardonne, dans le premier cas, que pour ne point ajouter à la perte d'un citoyen celle d'un autre citoyen ; il ne punit, dans le second, que pour prévenir les surprises et les malheurs auxquels l'exposerait une pareille invigilance [3]. Il faut donc, pour être honnête, joindre à la noblesse de l'âme les lumières de l'esprit. Quiconque rassemble en 35 soi ces différents dons de la nature, se conduit toujours sur la boussole de l'utilité publique. Cette utilité est le principe de toutes les vertus humaines, et le fondement de toutes les législations. Elle doit inspirer le législateur, forcer les peuples à se soumettre à ses lois ; c'est enfin à ce principe qu'il faut sacrifier tous ses sentiments, 40 jusqu'au sentiment même de l'humanité.

---

1. Licence : liberté d'expression (en contexte).

2. Probité : honnêteté.

3. Invigilance : manque de vigilance.

L'humanité publique est quelquefois impitoyable envers les particuliers. Lorsqu'un vaisseau est surpris par de longs calmes, et que la famine a, d'une voix impérieuse, commandé de tirer au sort la victime infortunée qui doit servir de pâture à ses compagnons, on
45   l'égorge sans remords : ce vaisseau est l'emblème de chaque nation ; tout devient légitime et même vertueux pour le salut public.

■ L'« honnêteté » : un idéal commun aux moralistes du xviie siècle

Les moralistes du xviie siècle, qui portent un regard critique sur les mœurs pour mieux édifier leurs lecteurs, s'intéressent à « l'honnêteté ». Ils rappellent que l'homme de Cour ne devrait être ni hypocrite ni vulgaire, et que « l'honnêteté » devrait être avant tout un idéal moral.

Texte 7

MAXIMES

LA ROCHEFOUCAULD, *Maximes et Réflexions diverses* (1665)

La Rochefoucauld (1613-1680) insiste sur la dimension sociale de l'« honnêteté », qui oblige parfois à une forme d'hypocrisie. La vie mondaine suppose certains compromis avec les exigences de la morale.

Maximes

202. Les faux honnêtes gens sont ceux qui déguisent leurs défauts aux autres et à eux-mêmes. Les vrais honnêtes gens sont ceux qui les connaissent parfaitement et les confessent.
203. Le vrai honnête homme est celui qui ne se pique de rien[1].
5   206. C'est être véritablement honnête homme que de vouloir être toujours exposé à la vue des honnêtes gens.

---

1. Qui ne se pique de rien : qui ne prétend exceller en rien, qui peut se vanter d'avoir à la fois toutes les compétences et aucune en particulier.

Réflexions diverses

II. De la société

Pour rendre la société commode, il faut que chacun conserve sa liberté : il faut se voir, ou ne se voir point, sans sujétion [1], se divertir ensemble, et même s'ennuyer ensemble ; il faut se pouvoir séparer,
10 sans que cette séparation apporte de changement ; il faut se pouvoir passer les uns des autres, si on ne veut pas s'exposer à embarrasser quelquefois, et on doit se souvenir qu'on incommode souvent, quand on croit ne pouvoir jamais incommoder. Il faut contribuer, autant qu'on le peut, au divertissement des personnes avec qui on peut vivre ;
15 mais il ne faut pas être toujours chargé du soin d'y contribuer. La complaisance est nécessaire dans la société, mais elle doit avoir des bornes : elle devient une servitude quand elle est excessive ; il faut du moins qu'elle paraisse libre, et qu'en suivant le sentiment de nos amis, ils soient persuadés que c'est le nôtre aussi que nous suivons.

Texte 8

PENSÉES

BLAISE PASCAL, *Pensées* (1670)

Pour Pascal (1623-1662), l'honnêteté n'est pas simplement un idéal social. Elle est aussi un idéal moral. L'honnête homme est caractérisé par sa modestie et sa mesure. Il incarne également une forme d'universalité : il s'adapte à tout et à tous. L'honnêteté ne détourne donc pas nécessairement de Dieu.

35-647. Il faut qu'on n'en puisse [dire], ni : « Il est mathématicien », ni « prédicateur [2] », ni « éloquent », mais « il est honnête homme ». Cette qualité universelle me plaît seule. Quand en voyant un homme on se souvient de son livre, c'est mauvais signe ; je voudrais qu'on ne
5 s'aperçût d'aucune qualité que par la rencontre et l'occasion d'en user (*Ne quid nimis* [3]), de peur qu'une qualité ne l'emporte, et ne

---

1. **Sujétion** : contrainte.
2. **Prédicateur** : homme qui prêche, qui transmet la parole de Dieu.
3. *Ne quis nimis* : rien de trop. Célèbre sentence antique.

fasse baptiser[1] ; qu'on ne songe point qu'il parle bien, sinon quand il s'agit de bien parler, mais qu'on y songe alors.

36-605. L'homme est plein de besoins : il n'aime que ceux qui
10   peuvent les remplir tous. « C'est un bon mathématicien », dira-t-on. – Mais je n'ai que faire de mathématiques ; il me prendrait pour une proposition. « C'est un bon guerrier ». – Il me prendrait pour une place assiégée. Il faut donc un honnête homme qui puisse s'accommoder à tous mes besoins généralement.

CARACTÈRES

Texte 9

JEAN DE LA BRUYÈRE, *Les Caractères* (1688)

Dans son œuvre, La Bruyère (1645-1696) propose une suite de portraits à travers lesquels il dénonce les vices de son siècle. Giton, par exemple, est un personnage vulgaire, qui se croit dispensé de respecter les bienséances, du fait de sa richesse. La Bruyère, en moraliste, rappelle ainsi indirectement les exigences qui devraient régir le comportement de l'homme du monde.

Giton a le teint frais, le visage plein et les joues pendantes, l'œil fixe et assuré, les épaules larges, l'estomac haut, la démarche ferme et délibérée[2]. Il parle avec confiance ; il fait répéter celui qui l'entretient[3], et il ne goûte que médiocrement tout ce qu'il lui dit. Il déploie un
5   ample mouchoir, et se mouche avec grand bruit ; il crache fort loin, et il éternue fort haut[4]. Il dort le jour, il dort la nuit, et profondément ; il ronfle en compagnie. Il occupe à la table et à la promenade plus de place qu'un autre. Il tient le milieu en se promenant avec ses égaux ; il s'arrête, et l'on s'arrête ; il continue de marcher, et l'on marche :
10   tous se règlent sur lui. Il interrompt, il redresse ceux qui ont la parole : on ne l'interrompt pas, on l'écoute aussi longtemps qu'il veut parler ;

---

1. Ne fasse baptiser : n'invite à la moquerie.
2. Délibérée : résolue, décidée.
3. L'entretient : discute avec lui.
4. Haut : bruyamment.

on est de son avis, on croit les nouvelles qu'il débite. S'il s'assied, vous le voyez s'enfoncer dans un fauteuil, croiser ses jambes l'une sur l'autre, froncer le sourcil, abaisser son chapeau sur ses yeux pour ne voir personne, ou le relever ensuite, et découvrir son front par fierté et par audace. Il est enjoué, grand rieur, impatient, présomptueux, colère, libertin, politique [1], mystérieux sur les affaires du temps ; il se croit des talents et de l'esprit. Il est riche.

■ Prolongements contemporains : de l'honnête homme au dandy

Au XIXe siècle, le dandy, qui se crée un personnage original et élégant, peut apparaître comme une déclinaison moderne de « l'honnête homme », influencée par le triomphe de l'individualisme et par l'affaiblissement de la morale aristocratique. Le paraître semble prendre le pas sur l'être.

Texte 10

ROMAN

HONORÉ DE BALZAC, *La Fille aux yeux d'or* (1835)

L'extrait suivant, tiré de La Fille aux yeux d'or*, est un portrait d'Henry de Marsay, personnage récurrent de* La Comédie humaine *de Balzac (1799-1850). C'est un dandy, un homme à la mode, élégant et raffiné.*

Vers la fin de 1814, Henri de Marsay n'avait donc sur terre aucun sentiment obligatoire et se trouvait libre autant que l'oiseau sans compagne. Quoiqu'il eût vingt-deux ans accomplis, il paraissait en avoir à peine dix-sept. Généralement, les plus difficiles de ses rivaux le regardaient comme le plus joli garçon de Paris. De son père, lord Dudley, il avait pris les yeux bleus les plus amoureusement décevants ; de sa mère, les cheveux noirs les plus touffus ; de tous deux, un sang pur, une peau de jeune fille, un air doux et modeste, une taille fine et

1. **Politique** : rusé, manipulateur.

aristocratique, de fort belles mains. Pour une femme, le voir, c'était
en être folle ; vous savez ? concevoir un de ces désirs qui mordent le
cœur, mais qui s'oublient par impossibilité de le satisfaire, parce que
la femme est vulgairement à Paris sans ténacité. Peu d'entre elles se
disent à la manière des hommes le : JE MAINTIENDRAI de la
maison d'Orange[1]. Sous cette fraîcheur de vie, et malgré l'eau
limpide de ses yeux, Henri avait un courage de lion, une adresse de
singe. Il coupait une balle à dix pas dans la lame d'un couteau,
montait à cheval de manière à réaliser la fable du centaure[2] ;
conduisait avec grâce une voiture à grandes guides ; était leste
comme Chérubin[3] et tranquille comme un mouton ; mais il savait
battre un homme du faubourg au terrible jeu de la savate ou du
bâton ; puis, il touchait du piano de manière à pouvoir se faire artiste
s'il tombait dans le malheur, et possédait une voix qui lui aurait valu
de Barbaja[4] cinquante mille francs par saison. Hélas ! toutes ces
belles qualités, ces jolis défauts étaient ternis par un épouvantable
vice : il ne croyait ni aux hommes ni aux femmes, ni à Dieu ni au
diable. La capricieuse nature avait commencé à le douer ; un prêtre
l'avait achevé.

Pour rendre cette aventure compréhensible, il est nécessaire
d'ajouter ici que lord Dudley trouva naturellement beaucoup de
femmes disposées à tirer quelques exemplaires d'un si délicieux
portrait[5]. Son second chef-d'œuvre en ce genre fut une jeune fille
nommée Euphémie, née d'une dame espagnole, élevée à la Havane,
ramenée à Madrid avec une jeune créole des Antilles, avec les goûts
ruineux des colonies ; mais heureusement mariée à un vieux et
puissamment riche seigneur espagnol, don Hijos, marquis de San-
Réal qui, depuis l'occupation de l'Espagne par les troupes françaises,

---

1. Maison d'Orange : princes des actuels Pays-Bas, dont la devise est toujours
« je maintiendrai ».

2. Centaure : créature mythique, mi-homme, mi-cheval.

3. Chérubin : jeune page, personnage du théâtre de Beaumarchais (1732-1799).

4. Barbaja : célèbre imprésario italien (1778-1841), qui a soutenu l'opéra.

5. Tirer quelques exemplaires d'un si délicieux portrait : avoir avec lui des
enfants.

était venu habiter Paris, et demeurait rue Saint-Lazare. Autant par insouciance que par respect pour l'innocence du jeune âge, lord Dudley ne donna point avis à ses enfants des parentés qu'il leur
40 créait partout. Ceci est un léger inconvénient de la civilisation, elle a tant d'avantages, il faut lui passer ses malheurs en faveur de ses bienfaits. Lord Dudley, pour n'en plus parler, vint, en 1816, se réfugier à Paris, afin d'éviter les poursuites de la justice anglaise, qui, de l'Orient, ne protège que la marchandise. Le lord voyageur
45 demanda quel était ce beau jeune homme en voyant Henri. Puis, en l'entendant nommer :

Ah ! c'est mon fils. Quel malheur ! dit-il.

Telle était l'histoire du jeune homme qui, vers le milieu du mois d'avril, en 1815, parcourait nonchalamment la grande allée des
50 Tuileries, à la manière de tous les animaux qui, connaissant leurs forces, marchent dans leur paix et leur majesté ; les bourgeoises se retournaient tout naïvement pour le revoir, les femmes ne se retournaient point, elles l'attendaient au retour, et gravaient dans leur mémoire, pour s'en souvenir à propos, cette suave figure qui
55 n'eût pas déparé le corps de la plus belle d'entre elles.

Texte 11

ROMAN

MARCEL PROUST, *Du Côté de chez Swann* ♦ « Un Amour de Swann » (1913)

Dans Du Côté de chez Swann, *premier volume d'*À La Recherche du temps perdu *de Proust (1871-1922), le narrateur présente le personnage de Swann, qui mène une existence mondaine élégante et raffinée.*

En disant aux Verdurin que Swann était très « smart[1] », Odette leur avait fait craindre un « ennuyeux ». Il leur fit au contraire une excellente impression dont à leur insu sa fréquentation dans la société élégante était une des causes indirectes. Il avait en effet sur les
5 hommes même intelligents qui ne sont jamais allés dans le monde,

---

1. Smart : élégant (anglicisme).

une des supériorités de ceux qui y ont un peu vécu, qui est de ne plus
le transfigurer par le désir ou par l'horreur qu'il inspire à l'imagination,
de le considérer comme sans aucune importance. Leur amabilité,
séparée de tout snobisme et de la peur de paraître trop aimable,
10 devenue indépendante, a cette aisance, cette grâce des mouvements
de ceux dont les membres assouplis exécutent exactement ce qu'ils
veulent, sans participation indiscrète et maladroite du reste du corps.
La simple gymnastique élémentaire de l'homme du monde tendant
la main avec bonne grâce au jeune homme inconnu qu'on lui
15 présente et s'inclinant avec réserve devant l'ambassadeur à qui on le
présente, avait fini par passer sans qu'il en fût conscient dans toute
l'attitude sociale de Swann, qui vis-à-vis de gens d'un milieu inférieur
au sien comme étaient les Verdurin et leurs amis, fit instinctivement
montre d'un empressement, se livra à des avances, dont selon eux, un
20 ennuyeux se fût abstenu. [...] En demandant à être présenté à
M. Saniette, Swann fit à Mme Verdurin l'effet de renverser les rôles
(au point qu'en réponse, elle dit en insistant sur la différence :
« Monsieur Swann, voudriez-vous avoir la bonté de me permettre de
vous présenter notre ami Saniette »), mais excita chez Saniette une
25 sympathie ardente que d'ailleurs les Verdurin ne révélèrent jamais à
Swann, car Saniette les agaçait un peu et ils ne tenaient pas à lui faire
des amis. Mais en revanche Swann les toucha infiniment en croyant
devoir demander tout de suite à faire la connaissance de la tante du
pianiste. En robe noire comme toujours, parce qu'elle croyait qu'en
30 noir on est toujours bien et que c'est ce qu'il y a de plus distingué, elle
avait le visage excessivement rouge comme chaque fois qu'elle venait
de manger. Elle s'inclina devant Swann avec respect, mais se redressa
avec majesté. Comme elle n'avait aucune instruction et avait peur de
faire des fautes de français, elle prononçait exprès d'une manière
35 confuse, pensant que si elle lâchait un cuir [1] il serait estompé d'un tel
vague qu'on ne pourrait le distinguer avec certitude, de sorte que
sa conversation n'était qu'un graillonnement [2] indistinct duquel
émergeaient de temps à autre les rares vocables dont elle se sentait

---

1. Cuir : faute de langage.

2. Graillonnement : fait de se racler la gorge.

sûre. Swann crut pouvoir se moquer légèrement d'elle en parlant à
M. Verdurin, lequel au contraire fut piqué[1].

« C'est une si excellente femme, répondit-il. Je vous accorde
qu'elle n'est pas étourdissante; mais je vous assure qu'elle est
agréable quand on cause seul avec elle. Je n'en doute pas, s'empressa
de concéder Swann. Je voulais dire qu'elle ne me semblait pas
« éminente », ajouta-t-il en détachant cet adjectif, et en somme
c'est plutôt un compliment ! »

---

1. Piqué : vexé.

Molière ou l'invention de la « grande comédie » classique

Avant d'écrire de «grandes comédies», Molière s'illustre dans le genre de la farce. Le Misanthrope, qui apparaît comme le modèle de la «grande comédie» classique, est l'une des œuvres qui marque l'apogée de sa carrière.

LE CHOIX DU COMIQUE : LE SUCCÈS DE LA FARCE

● **Jean-Baptiste Poquelin**, né en 1622, prend le pseudonyme de Molière en 1644. Il a renoncé à une existence bourgeoise pour fonder **l'Illustre Théâtre** avec la famille Béjart. Après l'échec de l'expérience parisienne, il se met à parcourir la province avec sa troupe, pour jouer un certain nombre de tragédies. Il écrit surtout quelques **farces**, telles que *La Jalousie du Barbouillé* (entre 1645 et 1658) ou *Le Dépit amoureux* (1658). Mais il hésite encore sur le genre à privilégier. En 1661, il connaît l'échec avec *Dom Garcie de Navarre*, une tragi-comédie, dont il réemploie certains motifs dans *Le Misanthrope*. Il s'agit pour lui d'une période d'apprentissage.

● En 1659, *Les Précieuses ridicules* sont un succès. Molière y raille le comportement et le langage affectés des précieuses, femmes à la mode dans les salons.

LES « GRANDES COMÉDIES » OU LE TEMPS DES POLÉMIQUES

● *L'École des Femmes*, représentée en 1662, est **la première des « grandes comédies »**. Il s'agit d'une pièce en cinq actes et en vers, qui ne vise pas simplement à divertir, mais qui s'attache aussi à instruire les hommes, en traitant de sujets graves. Elle donne lieu à une importante **querelle**. Ses adversaires reprochent à Molière de ne pas respecter l'exigence de bienséance et de s'attaquer au sacrement du mariage. Molière leur répond et se défend dans *La Critique de l'École des femmes* (1663).

● Molière se heurte à une hostilité plus forte encore à l'occasion du *Tartuffe* (1664), pièce qui dénonce les faux dévots et qui est rapidement interdite. En 1665, il écrit *Dom Juan* pour faire vivre sa troupe et pour répondre à ses adversaires, et en particulier à la compagnie du Saint-Sacrement, qui rassemble des dévots nombreux et influents. Le héros de la pièce est un séducteur, qui ne cesse de défier toute forme d'autorité, y compris celle de Dieu. Pour ces deux pièces, Molière est accusé d'être libertin, c'est-à-dire de vouloir s'attaquer à la dévotion, voire à la religion, et non simplement à l'hypocrisie. Après de **nombreuses interdictions** et **deux réécritures**, il obtient l'autorisation de représenter *Le Tartuffe* en 1669.

• C'est dans ce contexte troublé que Molière écrit *Le Misanthrope* (1666). Avec cette pièce, il continue à dénoncer l'hypocrisie des hommes. La première a lieu le **4 juin 1666 au Théâtre du Palais-Royal à Paris**. C'est Molière qui tient le rôle d'Alceste. La pièce connaît **un succès mitigé**. Elle fait sans doute plus sourire que rire, ce qui a pu déconcerter le public, davantage habitué à une forme moins subtile de comique. Les hommes de lettres, au contraire, ont reconnu dans cette pièce **le chef-d'œuvre de Molière**.

> **La comédie**
> Genre littéraire qui a pour but de divertir et d'instruire. Le spectateur est invité à mettre à distance les ridicules de certains personnages qui lui sont présentés. Dans la « grande comédie », qui tente de rivaliser en noblesse avec la tragédie classique, l'instruction est un objectif essentiel.

L'APAISEMENT : LE SOUCI DE DIVERTIR

• Molière s'efforce de mettre fin aux attaques en choisissant **des sujets d'inspiration plus anodins**. Dans *L'Avare* (1668), il dénonce le rapport perverti de ses contemporains à l'argent.

• C'est surtout le genre de la **farce** qui lui offre l'occasion de divertir les spectateurs. En 1671, *Les Fourberies de Scapin* n'obtiennent toutefois pas le succès escompté.

• Molière écrit également plusieurs **comédies-ballets**, qui sont des divertissements destinés à la Cour. *Le Malade imaginaire* (1673) est certainement la plus illustre de ces comédies, mêlées de musique et de danses. Elle ridiculise les médecins, qui profitent de la peur universelle de la souffrance et de la mort. Il s'agit du dernier chef-d'œuvre de Molière qui meurt le **17 février 1673**, après la quatrième représentation.

La société de Cour au XVIIᵉ siècle

Les personnages du Misanthrope *sont des nobles, qui connaissent les usages de la Cour. Certains, tels que les petits marquis ou Célimène, la coquette, s'adaptent aux règles de comportement qu'elle impose : il s'agit de respecter les exigences de bienséance et de politesse, censées favoriser une vie en société plaisante et apaisée. L'idéal que l'époque valorise est celui de l'« honnête homme » (voir p. 123), cultivé sans être ni ennuyeux, ni prétentieux, d'une compagnie agréable. Cet idéal social est toutefois critiqué. L'adaptation au monde ne suppose-t-elle pas une forme de complaisance à l'égard de valeurs moralement contestables ?*

LA VIE BRILLANTE DE LA COUR

Le pouvoir absolutiste de Louis XIV (1643-1715) conduit au développement de la société de Cour. Les nobles, oisifs, privés d'un certain nombre de leurs prérogatives, s'adonnent aux plaisirs de la conversation et fréquentent les salons.

1 • L'affaiblissement des pouvoirs de la noblesse

• Suite à l'échec de la Fronde (1648-1652), qui constitue une contestation du pouvoir royal par les parlementaires et par les aristocrates, l'absolutisme triomphe. Il s'affirme définitivement en **1661**, après l'**arrestation de Fouquet** (1615-1680), surintendant des finances accusé de corruption. Après cette date, **Louis XIV gouverne seul.**

• L'affirmation de l'absolutisme fait perdre aux nobles la possibilité de participer véritablement au pouvoir politique. **La noblesse, soumise au Roi, se retrouve à la Cour**, dans l'espoir d'obtenir des postes ou quelques avantages censés compenser ceux qu'elle a perdus. Elle y apprend à **contrôler ses passions** et à **respecter l'étiquette**, c'est-à-dire les règles complexes qui régissent la vie à la Cour.

2 • La figure du courtisan

• Le courtisan est donc une figure majeure du XVIIᵉ siècle. Il se doit d'être **un « honnête homme »** (voir p. 123), capable de s'adapter aux exigences de la sociabilité mondaine. Il se met sans cesse en scène face aux autres sur le **« théâtre du monde »** qu'est la Cour. Il apprend ainsi à se construire un rôle social, tout en veillant à préserver l'impression du naturel. Son arme essentielle est la parole. Il maîtrise l'**art de la conversation.**

• Le courtisan est également dans une situation de **soumission absolue au Roi**, dont il attend de recevoir la considération nécessaire pour s'assurer une position acceptable dans la société. Les cérémonies de la chambre à coucher royale avaient en cela une importance décisive. Chaque courtisan aspirait à être admis et à paraître au « **lever du Roi** ». S'y faire remarquer favorablement permettait d'obtenir un **prestige** enviable et d'exister véritablement à la Cour.

3 • Le succès des salons

• Pour les hommes et femmes du monde, il est indispensable de participer à la vie des salons, dont le nombre se multiplie. La **marquise de Rambouillet** (1588-1665), par exemple, reçoit de célèbres invités dans son hôtel entre 1610 et 1665, et en particulier des écrivains tels que La Rochefoucauld, Madame de Sévigné, Madame de La Fayette ou **Madeleine de Scudéry** (1607-1701), qui fonde ensuite elle-même son propre salon.

• Les femmes jouent un rôle très important dans la vie mondaine de l'époque. Sous l'influence du salon de Madeleine de Scudéry, entre autres, se développe l'**esprit précieux**. L'amour devient un jeu, dont l'homme est rarement le vainqueur. Pour les nobles à la mode, le plaisir d'élaborer de **subtiles stratégies de séduction**, qui s'appuient sur le **raffinement des discours amoureux**, est toutefois au moins aussi important que celui de la conquête de l'objet aimé.

LES MORALISTES FACE AUX VALEURS MONDAINES

Molière montre, dans *Le Misanthrope*, que l'honnêteté est un idéal social qui suppose une forme de compromission avec le monde et ses valeurs. Le courtisan est non seulement un « honnête homme », mais souvent aussi un flatteur et un ambitieux. Faut-il alors s'adapter au monde, ou s'en retirer ?

1 • Le courtisan : de la politesse à la complaisance

• Le courtisan est attentif à éviter toute forme de ridicule et à préserver la bonne opinion que les autres ont de lui. Pour plaire au Roi et aux Grands, il doit parfois s'adonner à la **flatterie**. La dissociation entre l'être et le paraître à la Cour rend les relations sociales suspectes d'être dominées par l'**hypocrisie** et par la dissimulation.

• **Les moralistes** de l'âge classique ont décrit et critiqué les comportements mondains. Dans les *Maximes* de **La Rochefoucauld** (1664), les *Fables* de **La Fontaine** (parues de 1668 à 1693) et les *Caractères* de **La Bruyère** (1688), le courtisan est l'objet d'un **regard lucide et désabusé**. Dans les *Fables*, il est incarné par le renard, personnage flatteur, cynique et ambitieux. Très éloigné de tout idéal moral, il est surtout caractérisé par son **amour-propre**.

2 • Un enjeu religieux : la querelle entre jésuites et jansénistes

• L'attitude à avoir à l'égard du monde est l'enjeu de l'opposition entre jésuites et jansénistes. Pour les **jésuites**, membres de la Compagnie de Jésus, ordre religieux fondé en 1534 par Ignace de Loyola, il importe de **réaffirmer la force de la religion catholique**, fragilisée par la Réforme protestante. Dans leur volonté de reconquête des fidèles, les jésuites s'attachent à composer avec les valeurs mondaines, qu'ils ne rejettent pas radicalement.

• La souplesse morale des jésuites leur a valu d'être accusés de laxisme par les **jansénistes**. Ces derniers, qui s'inspirent de la pensée de saint Augustin, évêque du ve siècle, dénoncent cette tolérance excessive des jésuites à l'égard des comportements parfois condamnables des Grands. Loin de toute complaisance à l'égard du monde, les jansénistes cherchent plutôt à s'en éloigner et à **se retirer en solitaires dans le « désert » qu'est l'abbaye de Port-Royal**, comme si la vie sociale était incompatible avec les exigences liées au Salut.

Tartuffe, Dom Juan et *Le Misanthrope* : comédies et hypocrisie

Tartuffe (1664), Dom Juan (1665) et Le Misanthrope (1666) sont trois «grandes comédies» de Molière, nées du succès et des polémiques qui ont accompagné L'École des femmes (1662) (voir repère 1, p. 144). Toutes les trois mettent en scène des personnages d'imposteurs, qui rendent compte d'une réflexion sur l'hypocrisie dont Le Misanthrope constitue le point d'aboutissement.

TARTUFFE, DOM JUAN ET ALCESTE : TROIS IMPOSTEURS

Tartuffe, Dom Juan et Alceste prétendent tous les trois être ce qu'ils ne sont pas : Tartuffe n'est pas un homme de foi ; Dom Juan, qui multiplie les conquêtes féminines, est un libertin, plus soucieux de ses désirs que de philosophie ; Alceste n'est misanthrope que par amour déçu de l'humanité.

● **Tartuffe**, directeur de conscience d'Orgon, se présente à tous comme un dévot. Mais sa rhétorique est une caricature de la théologie des **jésuites**, et en particulier de la **casuistique**, qui consiste à résoudre les questions morales qui se posent à l'homme dans sa vie sociale. Cette branche de la théologie permet de penser que la pureté de l'intention excuse la faute. Tartuffe en fait un instrument de justification de sa propre immoralité.

● **Alceste**, qui incarne une morale beaucoup plus rigoureuse, est un personnage dont l'attitude par rapport à la société est symétrique à celle de Tartuffe. **Hostile à tout compromis avec les valeurs mondaines**, au contraire du faux dévot, son personnage a été considéré comme d'inspiration **janséniste**, mouvement religieux opposé à la théologie jésuite (voir p. 148). Mais sa rigueur apparente est à la fois excessive et en contradiction avec ce qu'il vit : entouré de gens à la mode et bien en Cour, Alceste est amoureux d'une coquette. Même s'il est *a priori* moins condamnable que Tartuffe, il se fait, lui aussi, passer pour ce qu'il n'est pas.

● Si Molière semble refuser de prendre parti dans la querelle religieuse qui divise jésuites et jansénistes, ce n'est toutefois pas pour défendre le libertinage, comme les dévots l'en ont accusé. **Dom Juan** est un **libertin caricatural** : il méprise outrageusement les règles de la morale. Ses audaces antireligieuses, et même son athéisme, ne sont pas les fruits d'une véritable philosophie. Il s'agit simplement pour lui de justifier son abandon au plaisir.

● Molière fait ainsi **la satire de toute forme d'excès et du dogmatisme**, qu'il soit religieux ou libertin. Dans leur rapport au monde et à la foi, Tartuffe, Dom Juan et Alceste sont prisonniers de leurs certitudes, qui ne leur permettent pas de s'adapter aux exigences du monde.

LE MISANTHROPE OU LA CONCLUSION D'UNE RÉFLEXION SUR L'HYPOCRISIE

Dans *Tartuffe*, Molière considère encore qu'il est possible de faire tomber les masques. La conclusion du *Misanthrope* est nettement plus amère.

● *Tartuffe* permet la confrontation entre un hypocrite, sa dupe et des personnages parfaitement lucides. **Le dénouement permet à la vérité de triompher.** Tartuffe, le faux dévot, est démasqué et la rassurante intervention de l'exempt, qui parle sur scène au nom du Prince, sauve finalement la famille d'Orgon de la perte : Tartuffe est arrêté sur ordre du Roi, la donation qu'Orgon lui avait faite est annulée et les jeunes gens peuvent se marier, comme ils le souhaitaient. Avec **Dom Juan**, le retour à l'ordre se paie plus chèrement. Il suppose la disparition du personnage.

● Dans **Le Misanthrope**, la corruption n'est pas limitée à quelques personnages : **la société entière semble frappée par l'hypocrisie et le vice.** Il est difficile d'envisager une sagesse dans un monde où la vérité semble insaisissable et où la mise en scène de soi est une norme à laquelle Alceste lui-même ne fait pas véritablement exception. L'ordre, dans ces conditions, ne saurait être facilement rétabli. Alceste et Célimène entrevoient les contradictions et les illusions sur eux-mêmes qui leur interdisent de s'accorder, mais ils restent **incapables de renoncer à leurs prétentions**. Le conflit ne prend fin qu'avec le départ de la scène des deux personnages, qui marque l'impossibilité de trouver une autre issue à la crise qu'à travers la solitude et le silence.

Le Misanthrope sur scène : une comédie ?

Depuis la fin des années 70, les mises en scène du Misanthrope *ont été très nombreuses, témoignant de la richesse d'une œuvre qui continue à susciter des interprétations très diverses. La pièce est-elle une comédie empreinte de gravité, ou une tragédie qui fait sourire ?*

FAIRE RIRE OU SOURIRE

● En 1666, **le rôle d'Alceste était tenu par Molière** lui-même, dont on connaît le jeu très expressif, souvent **farcesque**. La mise en scène originelle soulignait donc la bizarrerie et le ridicule d'un personnage traversé par de multiples contradictions.

● La dimension comique de la pièce, après Molière, a très vite été atténuée. Certains ont toutefois recherché un **équilibre entre le comique et la gravité**. C'est le cas par exemple de Jean-Louis Barrault, qui présente sa mise en scène au théâtre Marigny en 1954. Lucas Hemleb, dans la mise en scène qu'il propose à la Comédie-Française en 2007, tente également de ne pas sacrifier le comique et de faire sourire de l'extravagance d'Alceste.

LA MENACE DU TRAGIQUE

● Au XIXe siècle, sous l'influence de l'interprétation de Rousseau (voir thème et documents I, p. 169) et d'une sensibilité marquée par le **romantisme**, Alceste a été vu comme **un homme de bien, malheureux et incompris**. Les metteurs en scène se sont intéressés à la profondeur psychologique du misanthrope, à sa mélancolie, voire à sa folie. Musset fait part de son sentiment de spectateur sur un personnage qu'il faudrait considérer comme tragique : « Quelle mâle gaieté, si triste et si profonde/ Que lorsqu'on vient d'en rire, on devrait en pleurer ! » (*Une Soirée perdue*, poème publié dans la *Revue des deux mondes*, 1840)

● Les mises en scène contemporaines s'inscrivent souvent dans la continuité de ces lectures. Elles soulignent la **gravité de l'œuvre** et certaines d'entre elles font d'Alceste un personnage aux accents **tragiques**.

– **Jean-Pierre Vincent** présente en **1977**, au théâtre national de Strasbourg, une interprétation très sombre du personnage, qui paraît angoissé et fortement perturbé. La surveillance du pouvoir royal qui pèse sur lui permet de donner un sens non seulement philosophique et moral, mais aussi politique à la pièce. Le dénouement met en évidence le vide inquiétant laissé par le départ de Célimène et le sien, sur lequel l'œuvre se clôt.

– En **1988**, la mise en scène d'**Antoine Vitez**, au théâtre de Chaillot, fait d'Alceste un personnage de martyr, finalement sacrifié pour avoir préféré la sincérité aux exigences de la vie sociale. → Voir image en couverture.

– **Jacques Weber** a mis en scène *Le Misanthrope* au théâtre de la Porte-Saint-Martin en 1990. Il tenait le rôle d'Alceste et Emmanuelle Béart celui de Célimène. Il livre une interprétation très sombre de son personnage. → Voir image en 3ᵉ de couverture.

Le misanthrope, la coquette et les honnêtes gens

Le Misanthrope, qui peut s'identifier à une comédie de caractères, propose une riche galerie de portraits. Alceste et Célimène, l'atrabilaire et la coquette, autour desquels gravite une petite société à l'image de la Cour, y occupent une place essentielle. L'un et l'autre présentent une image d'eux-mêmes infidèle à ce qu'ils sont vraiment. Molière leur donne une complexité et une profondeur qui interdit de faire d'eux de simples types comiques[1]. Peut-on néanmoins rire de ces personnages ? En riant d'Alceste, rit-on du seul « honnête homme » de la pièce ?

ALCESTE ET CÉLIMÈNE : L'IMPASSE DE L'AMOUR-PROPRE

Alceste affirme être sincère et exiger d'autrui la sincérité. Célimène incarnerait au contraire la vanité des valeurs mondaines. Alceste est-il toutefois aussi misanthrope qu'il voudrait l'être, et Célimène aussi superficielle qu'elle le paraît ?

1 • Alceste, « l'atrabilaire amoureux[2] »

Un idéal de sincérité

• Alceste ne cesse d'**opposer les règles de la sociabilité à celles de la morale**. Il défend les valeurs fondamentales de l'honneur, du mérite et de la vérité, qu'il estime perdues au profit de celles de la politesse et de l'étiquette (voir repère 2, p. 146). Pour lui, le langage, en particulier lorsqu'il est élogieux, n'a plus de sens. La seule fonction qui lui est attribuée est de plaire. Sa critique des mœurs du siècle lui vaut le respect d'Éliante, qui souligne ce qu'elle a « de **noble** et d'**héroïque** » (acte IV, scène 1, v. 1166). Mais elle prête également à rire. Ses « rubans verts »

---

1. Le personnage du misanthrope apparaît à de multiples reprises, dès l'Antiquité. On peut citer *Le Dyscolos*, comédie du poète grec Ménandre (vers 342-vers 292 av. J.C.) et *Timon ou le Misanthrope* de Lucien de Samosate (125-190). La coquette est également un type que l'on retrouve fréquemment dans la littérature du XVIIe siècle.
2. « L'atrabilaire amoureux » est un sous-titre qui apparaît dans la demande de privilège en 1666, mais qui est supprimé dès l'édition de 1667. L'*atrabile* désigne la mélancolie, l'humeur noire.

traduisent, sur le plan vestimentaire, son indifférence à la mode et son **décalage parfois ridicule avec son époque**.

● Si Alceste peut être considéré comme un **personnage comique**, c'est aussi parce qu'il fait référence à la **sincérité** de manière **obsessionnelle** et très **excessive**. L'hypocrisie est pour lui un déshonneur qui serait susceptible de le pousser au suicide : il affirme qu'il n'hésiterait pas, dans ce cas, à se « pendre tout à l'instant » (acte I, scène 1, v. 28).

● Il découvre néanmoins que **la transparence dont il rêve s'avère impossible, voire dangereuse**. L'entretien qu'il voudrait avoir avec Célimène, pour lui exprimer ses sentiments et pour lui demander de renoncer à ses plaisirs mondains, est sans cesse différé par l'arrivée d'autres personnages : Oronte avec son sonnet, ainsi que les marquis Acaste et Clitandre. Avec Oronte, en particulier, Alceste peut constater que la sincérité conduit à l'affrontement.

Un personnage mélancolique

● Dès l'exposition, Alceste est assis, dans une posture mélancolique, signe de sa « bizarrerie » (acte I, scène 1, v. 2). Sa **mélancolie**, qu'il qualifie lui-même d'« humeur noire » (acte I, scène 1, v. 91), fait presque de lui un malade[1]. Son opposition systématique au monde témoigne également de son **amour-propre**, de son souci d'échapper à la médiocrité d'esprit, qui conduirait à l'aveuglement ou à l'acceptation du mensonge.

● Cette humeur incite Alceste à sans cesse **menacer de quitter la scène** pour se retirer dans un lieu « où d'être homme d'honneur on ait la liberté » (acte V, scène dernière, v. 1806). Sa **misanthropie** confine à la haine de l'humanité. Pour lui, qui s'estime honnête, perdre un procès est la preuve de l'universelle **corruption** et du **triomphe de l'artifice sur le bon droit** (acte V, scène 1). Dans une allusion à une célèbre formule de Hobbes (1588-1679), philosophe anglais, il considère que l'homme est un véritable « loup pour l'homme » : « Puisque entre humains ainsi vous vivez en vrais loups,/ Traîtres, vous ne m'aurez de ma vie avec vous. » (acte V, scène 1, v. 1523-1524)

---

1. La mélancolie est l'une des quatre humeurs de la médecine de Galien, médecin grec du IIe siècle après J.-C. Les autres humeurs du corps sont le flegme (censé caractériser Philinte), la bile (à l'origine de la colère) et le sang.

Les contradictions du personnage

• Un « atrabilaire », qui prétend désespérer du genre humain, n'est certainement pas censé être amoureux d'une coquette de vingt ans (voir v. 1774), courtisée par de nombreux petits marquis. C'est **l'un des ressorts du comique** de la pièce. Alceste, conscient que **ses sentiments constituent sa faiblesse**, fait cet aveu à Célimène : « Et c'est pour mes péchés que je vous aime ainsi » (acte II, scène 1, v. 74). Il n'en aspire pas moins à devenir l'unique objet de satisfaction de Célimène : « Et s'il faut qu'à mes feux votre flamme réponde,/ Que vous doit importer tout le reste du monde ?/ Vos désirs avec moi ne sont-ils pas contents ? » (acte V, scène dernière, v. 1771-1773). Il est de ce fait **jaloux** des marquis, ses rivaux, contre lesquels il lutte pour obtenir l'attention de Célimène. Pour lui, **l'amour est cependant indissociable de l'amour-propre** : il veut modeler la coquette à son image et obtenir d'elle un amour exclusif. En **moraliste tyrannique**, il lui déclare son attachement tout en lui adressant d'incessants reproches et en lui présentant ses folles exigences.

• **Alceste peine également à mettre en application ses propres principes de sincérité.** Face à Oronte (acte I, scène 2), il s'efforce d'abord de préserver le caractère indirect de son discours : il feint de s'adresser à un autre. C'est sous l'effet de l'agacement qu'il finit par énoncer son jugement avec une certaine brusquerie. Alceste est misanthrope par **amour déçu de l'humanité**, qu'il tente vainement de changer. Son échec est inévitable.

2 • Célimène, ou les risques du jeu de la séduction

Les plaisirs mondains

• Célimène est une **jeune femme séduisante et qui aime séduire**. Elle dispose d'une véritable cour, soumise à ses désirs, qu'elle exprime parfois avec vigueur. Lorsqu'elle entend être obéie, elle répète à trois reprises : « Je le veux » (acte II, scène 3). Elle **maîtrise** l'espace – l'intrigue se déroule dans son salon – et les règles de ses relations avec les hommes, qu'elle considère, non sans quelque **légèreté**, comme un jeu. Elle est avant tout attentive aux apparences, au risque d'être accusée de superficialité.

• Mais Célimène est également **une femme d'esprit**, qui maîtrise avec brio **l'art de la conversation**. Elle en fait la démonstration dans la fameuse **scène des portraits**. Elle n'hésite pas, sur la sollicitation des marquis, à témoigner de son «humeur satirique» (acte II, scène 4, v. 661). Elle est alors le metteur en scène et l'actrice d'un spectacle qui se déroule dans son salon, par un plaisant effet de **mise en abyme**. Pour elle, le monde est un théâtre, sur lequel elle peut se mettre en valeur et qui lui permet d'obtenir la reconnaissance d'autrui : les marquis la regardent, l'admirent et rient de ses bons mots.

Le procès d'une femme libre

● Célimène est **une précieuse, qui ne vit sous la tutelle d'aucun homme** : veuve, elle ne dépend ni d'un père, ni d'un mari, ce qui est assez inhabituel au XVIIᵉ siècle. De plus, elle est **jeune** et caractérisée par une grande **joie de vivre**. Elle n'entend donc pas sacrifier son exceptionnelle **liberté** en se mariant. Si elle est attachée à Alceste (voir acte II, scène 1, v. 503), elle ne peut l'aimer de manière exclusive et considère avec un effroi certainement légitime la solitude à laquelle il voudrait la contraindre.

● Le **dénouement** marque l'échec de Célimène, qui incarne une forme d'**excès du rire et de la satire**, symétrique aux excès mélancoliques d'Alceste. Elle est donc condamnée pour avoir usé sans prudence du comique. Son double jeu est démasqué et elle est contrainte à cet aveu : «J'ai tort, je le confesse» (acte V, scène dernière, v. 1739). Mais Célimène est aussi condamnée du fait de son charme et parce qu'elle a eu l'audace d'affirmer son désir de liberté. Elle est **sacrifiée** à la tyrannie des désirs masculins.

ARSINOÉ, PHILINTE ET ÉLIANTE : DES MODÈLES DE SAGESSE ?

Arsinoé, qui prétend être sage, n'est en fait qu'une hypocrite. Philinte ne peut pas davantage être considéré comme un modèle, car il fait preuve d'une excessive complaisance à l'égard du monde. La discrète Éliante proposerait le seul exemple de conciliation réussie entre la morale et la sociabilité.

1 • Arsinoé, la fausse prude

● Arsinoé prétend être pieuse et vertueuse. Elle dénonce l'infidélité de Célimène et ne cesse de déplorer la corruption du monde. Elle n'a toutefois choisi la pruderie que par incapacité à séduire, du fait de son âge. Elle est sûrement jalouse des charmes de Célimène, qu'elle ne parvient pas à égaler. Cette dernière est consciente des faiblesses d'Arsinoé, qu'elle démasque sans ménagement. Pour la jeune femme, Arsinoé est **prude «par politique»** (acte III, scène 4, v. 979). Le personnage est donc un **double dégradé à la fois de Célimène et d'Alceste**, dont l'attitude est certainement plus noble.

2 • Philinte, l'honnête homme

● Philinte est un personnage qui appartient à la catégorie des «**raisonneurs**». Sa sagesse met en évidence, par contraste, l'extravagance d'Alceste. Il plaide pour que son ami se montre plus **pragmatique** et fasse des concessions par rapport à ses principes. Toute résistance face aux usages du monde, qu'il regarde avec **indulgence**, lui semble vaine : il demande à Alceste de faire «un peu grâce à la nature humaine» (acte I, scène 1, v. 146).

● Philinte fait toutefois preuve d'une **complaisance excessive** à l'égard des autres hommes et n'hésite pas à se montrer hypocrite, en particulier face à Oronte, ce qui lui vaut ces réactions méprisantes d'Alceste : «Morbleu! vil complaisant, vous louez des sottises?» (v. 326). **Pour lui, l'honnêteté est un idéal social, bien plus que moral.** S'il s'oppose à Alceste, ce n'est pas parce qu'il serait philanthrope, mais simplement parce qu'il accepterait de **s'adapter** au monde, même s'il le sait corrompu (voir acte I, scène 1, v. 159-166).

3 • La sagesse d'Éliante

● Éliante est **un personnage discret et raisonnable.** Elle tente de modérer les passions d'Alceste, qui voudrait faire d'elle l'instrument de sa vengeance contre Célimène (voir acte IV, scène 2). Elle est sincère et lucide sur les faiblesses des hommes, sans avoir l'intransigeance d'Alceste. Elle ne succombe pas non plus à la tentation de la flatterie, comme le fait Philinte. Étrangère à toute forme d'excès, elle incarne un sage **juste milieu**, qui permet un rapport apaisé avec le monde.

● Éliante parvient à cet idéal de sociabilité, compatible avec les valeurs morales, parce qu'**elle maîtrise son amour-propre.** Elle est tournée vers les autres et sait faire preuve de **générosité**. Elle est en effet prête à sacrifier son affection pour Alceste en faveur de Célimène : «Et si c'était qu'à moi la chose pût tenir,/ Moi-même à ce qu'il aime on me verrait l'unir.» (acte IV, scène 1, v. 1195-1196) Son **mariage avec Philinte** permet d'échapper à la tension qui caractérise le dénouement. Il autorise le spectateur à garder l'espoir d'une vie dans le monde à la fois sage et heureuse.

Le Misanthrope : une pièce comique ?

Le Misanthrope est une pièce qui fait sourire, bien plus que rire. L'écrivain Donneau de Visé (1638-1710), dans sa Lettre écrite sur la comédie du Misanthrope (1667), explique les paradoxes du comique de la pièce, qui font d'après lui sa noblesse, en affirmant qu'elle fait «rire dans l'âme». Sur les réticences à rire d'Alceste, qui défend des valeurs morales essentielles, repose l'originalité du registre comique. Cette pièce, dans laquelle le rire semble en crise, peut-elle toujours être considérée comme une comédie ?

LE RIRE DANS *LE MISANTHROPE*

Avec *Le Misanthrope*, une «grande comédie», Molière a pour ambition de «plaire et d'instruire». Il veut, à travers le rire, dénoncer les vices de son siècle. La pièce laisse-t-elle néanmoins place à un comique plus léger, visant le simple divertissement ?

1 • Rire et morale

● Molière veut faire de la comédie un moyen **d'instruire**. C'est pourquoi il dénonce les contradictions d'Alceste et les excès de sa misanthropie. Le discours amoureux du personnage, par exemple, constitue une **parodie du registre tragique**. Alceste veut se venger de Célimène, qu'il qualifie d'«ingrate» et de «perfide» (acte IV, scène 2, v. 1249). Ce vocabulaire emprunté à la tragédie semble en décalage comique par rapport à la faiblesse de l'enjeu, qui est simplement amoureux. **Étranger à la norme sociale de son époque** (voir repère 2, p. 146), Alceste passe pour un extravagant et fait **rire de lui**, ce que Philinte n'hésite pas à avouer : «Je vous dirai tout franc que cette maladie,/ Partout où vous allez, donne la comédie,/ Et qu'un si grand courroux contre les mœurs du temps/ Vous tourne en ridicule auprès de bien des gens» (I, 1, v. 105-108).

● Les petits marquis, qui incarnent la norme de la sociabilité, font toutefois rire plus franchement. Molière montre qu'ils sont aveuglés par leur **amour-propre** (voir fiche 2, p. 147). Acaste et Clitandre sont deux courtisans à la mode, dont la principale activité est de paraître au lever et au coucher du Roi. Acaste, dont la **prétention** contraste plaisamment avec sa **médiocrité**, estime qu'il a suffisamment de qualités pour faire «figure de savant sur les bancs du théâtre» (III, 1, v. 794). L'un et l'autre, accompagnés par **Oronte, le poète ridicule**, participent à la chute de Célimène, qu'ils ont pourtant servilement courtisée. Ils font preuve ainsi de leur **mesquinerie**.

• La pièce témoigne toutefois d'une certaine **méfiance à l'égard du rire et de sa vocation morale**. Les spectateurs des médisances de Célimène, les petits marquis, réagissent par des «ris[1] complaisants» (acte II, scène 4, v. 659) qui ne peuvent être que condamnés. Ces réactions contrastent fortement avec l'humeur mélancolique d'Alceste, qui reste en retrait du spectacle. **Le rire fait aussi partie de la comédie sociale, que l'œuvre dénonce.**

> ### *Castigat ridendo mores*
> Cette formule latine signifie que la comédie classique « châtie les mœurs par le rire ». Elle a pour objectif à la fois de divertir le spectateur et de l'instruire, c'est-à-dire de le détourner de ses vices en lui offrant le spectacle, sur la scène, des ridicules des personnages.

2 • La diversité des procédés comiques

• Boileau note, dans son *Art poétique* (1674), la distance entre *Le Misanthrope* et *Les Fourberies de Scapin* (1671), pièce considérée comme une farce : «Dans ce sac ridicule où Scapin s'enveloppe/ Je ne reconnais plus l'auteur du *Misanthrope*.» Mais «la grande comédie» s'appuie sur divers procédés comiques traditionnels. Le **valet Du Bois**, par exemple, est à l'origine d'un **comique qui rappelle celui de la farce** : il apparaît à Alceste avec un «air effaré» et ne parvient pas à parler, alors qu'Alceste le presse de s'expliquer (acte IV, scène 4).

• **Le comique de mots** est lui aussi présent dans la pièce. Le spectateur peut rire aux nombreux **jurons** d'Alceste, tels que «morbleu», «têtebleu» ou «parbleu» (acte I, scène 1, v. 25, 141, 236), qui révèlent son caractère mélancolique (voir fiche 1, p. 153) et rire de son agacement face aux jeux qu'on joue en société. La pièce laisse place également à quelques **familiarités**. Le «ouais» de Célimène (acte IV, scène 3, v. 1278) crée un plaisant effet de contraste entre la surprise et la légèreté de la jeune femme, et le registre tragique adopté par Alceste dans son discours.

LA MENACE DU TRAGIQUE

Dans *Le Misanthrope*, le dénouement laisse le spectateur face à l'échec de Célimène et d'Alceste. Le tragique ne reste toutefois qu'une menace, que la comédie parvient à mettre à distance.

---

1. Ris : rires.

1 • La tentation du désespoir

• Alceste est **un personnage moralement respectable et malheureux**, qui refuse obstinément de rire et dont le spectateur hésite à rire. Même s'il fréquente le salon de Célimène, il est **seul** et prêt à tout pour obtenir l'amour de la jeune femme, y compris au mensonge. Il lui fait en effet cette demande étonnante : « Efforcez-vous ici de paraître fidèle,/ Et je m'efforcerai, moi, de vous croire telle » (v. 1389-1390). La lucidité face au spectacle de la corruption des hommes lui interdit le bonheur.

Le tragique

Le registre tragique est destiné à inspirer la terreur et la pitié au spectateur. Il est caractérisé par un vocabulaire noble et solennel, qui traduit la souffrance du personnage et la violence de ses passions. Ce personnage est victime d'un destin qui l'entraîne malgré lui vers sa perte. Un texte tragique se conclut par un dénouement malheureux (la plupart du temps : la mort).

• Le dénouement de la pièce se révèle assez **sombre**. Alceste s'estime « trahi de toutes parts, accablé d'injustices » (V, scène dernière, v. 1803). Même s'il ne meurt pas, il renonce à toute vie sociale, ce qui correspond à une forme de **mort symbolique**. Célimène surtout doit quitter la scène, humiliée (V, scène dernière). Pour ce personnage, dont l'existence brillante prenait sens sous le regard d'autrui, cette fin silencieuse et solitaire apparaît comme tragique. Le dénouement n'apporte donc aucune libération. Alceste et Célimène inspirent au spectateur de la **pitié**, ce qui est un sentiment généralement exclu de la comédie.

2 • Les voies de l'apaisement

• Alceste, dans son ultime tirade, annonce vouloir **fuir le monde, devenu pour lui un enfer**, « un gouffre où triomphent les vices » et décide de « [...] chercher sur la terre un endroit écarté/ Où d'être homme d'honneur on ait la liberté » (acte V, scène dernière, v. 1805-1806). C'est sur la pensée d'une **utopie**, sur l'espoir d'un lieu indéterminé, mais préservé de la corruption, qu'il quitte la scène.

• **L'amour et l'amitié** semblent être les échappatoires les plus évidentes à la noirceur du monde. Le **mariage** de Philinte et d'Éliante, fondé sur un amour sincère, fait écho aux dénouements heureux traditionnels de la comédie. En conclusion de la pièce, **Philinte, fidèle à son ami**, permet également au spectateur d'espérer, même si cet espoir est fragile, qu'Alceste revienne sur sa décision : il veut « rompre le dessein que son cœur se propose » (acte V, scène dernière, v. 1808). La pièce ne bascule donc pas dans la tragédie. Philinte nous rappelle que, pour la comédie, le monde est vivable et qu'il est déraisonnable de désespérer des hommes.

Le Misanthrope : une sagesse de la modération

Molière, en moraliste, présente l'amour-propre comme la source essentielle de tous les excès des personnages, ainsi que de leurs illusions sur eux-mêmes et sur les autres. Il ne propose toutefois pas seulement un tableau critique des vices et des vertus des hommes. Il nous invite aussi à réfléchir sur le théâtre et sur le rire. Le comique ne devrait-il pas être soumis à une exigence de modération ?

SOCIABILITÉ ET MORALE

L'amour-propre fait de la société de Cour une simple somme d'individualités, parfois en conflit. Il rend les hommes jaloux et les empêche de se tourner vérita-blement vers autrui. Quelles sont les conditions données par Molière à une socia-bilité plus harmonieuse ?

1 • Une réflexion critique sur l'amour-propre

• Les **moralistes** de l'âge classique, tels que Pascal (1623-1662), La Rochefoucauld (1613-1680) ou La Bruyère (1645-1696), considèrent que l'amour-propre interdit aux hommes de se voir tels qu'ils sont vraiment et de vivre heureux ensemble[1]. **La Cour est le lieu par excellence où l'amour-propre est flatté**. Chaque personnage y est en représentation. Molière fait des petits marquis l'incarnation caricaturale des travers de la Cour. Alceste lui-même affirme cet orgueilleux désir : « Je veux qu'on me distingue » (acte I, scène 1, v. 63). Il voudrait être au centre de ce monde qu'il prétend refuser.

• **Le dénouement marque la victoire de l'amour-propre**. Jacques Guicharnaud en livre cette interprétation : « Ce qui éclate, à la fin du *Misanthrope*, c'est que Célimène se préfère à Alceste, c'est qu'Alceste se préfère à Célimène. Et ce qui est évident d'un bout à l'autre, c'est que chaque personnage se préfère à tous les autres[2]. » Alceste sait qu'il est vain d'attendre d'autrui un amour absolu et de

---

1. La Rochefoucauld propose cette célèbre définition de l'amour-propre : « L'amour-propre est l'amour de soi-même, et de toutes choses pour soi ; il rend les hommes idolâtres d'eux-mêmes, et les rendrait les tyrans des autres si la fortune leur en

donnait les moyens » (*Maximes*, première édition, 1665).
2. Voir Jacques Guicharnaud, *Molière, une aventure théâtrale*, NRF, éditions Gallimard, Paris, 1963, p. 510.

forcer les sentiments (acte IV, scène 3, voir v. 1297-1300). Mais, **incapable de chan-ger**, il n'en tyrannise pas moins Célimène, en lui demandant de faire entre ses prétendants un choix auquel elle ne peut sincèrement se résoudre. La résistance de la jeune femme les renvoie l'un et l'autre à leur **solitude** (acte V, scène dernière).

2 • La recherche du juste milieu

● Pour accéder à la sagesse, Molière invite à rechercher un **juste milieu** entre des attitudes extrêmes, jugées contraires à la raison et au bonheur. Philinte rappelle à Alceste cette exigence, héritée de la **philosophie aristotélicienne**[1] : « La parfaite raison fuit toute extrémité » (acte I, scène 1, v. 151). La misanthropie n'est pas une sagesse : elle nourrit la mélancolie et l'amertume. Le sage doit plutôt être **indiffé-rent** à la méchanceté des hommes, avoir davantage de « flegme » (*idem*, v. 166), qualité de patience prêtée à Philinte. Contrairement à ce dernier, il ne faut toute-fois pas sacrifier la morale à l'art de plaire, en se montrant flatteur et hypocrite.

● Éliante nous montre certainement la voie de cette sagesse. Contrairement à Alceste, qui veut changer les hommes, et qui échoue, elle ne tient **aucun discours moralisateur**. Elle pointe simplement avec **indulgence** leur **inconstance** et leur **aveuglement** sur eux-mêmes. Au sujet de Célimène, elle a ces **paroles bien-veillantes** : « Son cœur de ce qu'il sent n'est pas bien sûr lui-même » (acte IV, scène 1, v. 1182). Éliante **se connaît mieux elle-même** que les autres personnages : elle est consciente d'être traversée par des sentiments complexes, changeants et parfois contradictoires. Elle est d'ailleurs sensible aux qualités d'Alceste, même si elle finit par proposer le mariage à Philinte. **L'humilité et la lucidité à l'égard de ses propres faiblesses** sont donc les conditions nécessaires à une vie sociale heureuse et apaisée.

RIRE ET FAIRE RIRE AVEC PRUDENCE

La sagesse que Molière défend n'est pas simplement destinée à l'homme du monde. Elle concerne également l'homme de théâtre, qui doit être conscient de la force et des limites du comique.

---

1. Cet idéal du « juste milieu » est défini par Aristote (384-322 av. J.-C.) dans l'*Éthique à Nicomaque*, qui a eu une influence importante sur la pensée classique.

1 • La vanité du bel esprit

• Oronte incarne **le ridicule de celui qui prétend être un écrivain** et qui est persuadé de son talent, alors que son sonnet n'est bon, pour Alceste, qu'à « mettre au cabinet » (acte I, scène 2, v. 376). Célimène, dans le portrait très critique qu'elle fait de lui, considère qu'il « s'est jeté dans le bel esprit et veut être auteur malgré tout le monde » (acte V, scène dernière). Oronte fait de la poésie l'**instrument de la séduction** qu'il a l'ambition d'exercer sur autrui. Pour défendre son honneur de poète qu'il estime offensé, il n'hésite pas à risquer un affrontement avec Alceste.

• **Célimène**, dans son salon, fait elle aussi preuve de « bel esprit ». Ses portraits, peints avec vivacité et sans ménagement pour leurs victimes, sont des exercices de style réussis, qui répondent aux exigences du caractère, genre auquel La Bruyère a donné ses lettres de noblesse (voir thème et documents I, p. 165). Mais Célimène, simplement désireuse de **se divertir**, apparaît comme un **censeur naïf et imprudent des mœurs d'autrui**.

2 • La sagesse du dramaturge

• Molière, contrairement à la jeune femme, sait que le comique n'est pas inoffensif. Suite à la longue et pénible **querelle du *Tartuffe*** (voir repère 1, p. 144), il prévient : « Il est très assuré, Sire, qu'il ne faut plus que je songe à faire de comédie, si les tartuffes ont l'avantage » (second placet). Célimène a été victime des tartuffes, qui l'ont sacrifiée à leur amour-propre, après avoir voulu la séduire. Pour éviter le sort tragique qui lui est réservé, il importe donc de **faire rire sans agressivité** et d'éviter de s'attaquer directement à des adversaires plus puissants que soi.

• Sans négliger la nécessité de la **prudence**, le comique est toutefois un risque qu'il faut prendre, parce que l'hypocrisie est devenue la règle et que **la tragédie menace**. La transparence absolue dans les relations entre les êtres étant impossible, il semble inévitable de **se mettre en scène** dans le monde, pour ne pas être condamné à l'exclusion. Le théâtre, en nous faisant comprendre que l'opposition systématique aux vices du siècle est un combat certainement héroïque, mais surtout désespéré, nous donne la précieuse et salvatrice liberté d'**en rire**.

La morale de la satire (XVIIᵉ-XVIIIᵉ siècles)

Le portrait est très à la mode à l'âge classique. C'est un exercice de salons, que l'on retrouve parfois au théâtre. Célimène, en particulier, s'y livre avec plaisir. Elle est l'héritière d'une longue tradition, venue de l'Antiquité. La Bruyère, avec Les Caractères *(1688) en fait véritablement un genre littéraire majeur pour les moralistes. Souvent satirique, le portrait a pour ambition d'instruire : il dénonce l'extravagance des personnages qu'il décrit, les ridicules et la corruption des comportements humains. Mais il est aussi un jeu, destiné à plaire et à faire valoir la vivacité d'esprit de son auteur. Le souci de l'écriture, qui se doit d'être séduisante, est-il compatible avec l'exigence morale ? La forme ne fait-elle pas parfois oublier le fond ?*

DOCUMENT 1

MOLIÈRE, *Le Misanthrope* (1666) ♦ II, 4, v. 575 à 650

Alceste voudrait obliger Célimène à choisir entre lui et les marquis et à expliciter clairement ses sentiments. À l'arrivée des marquis, la jeune femme se livre à un brillant jeu de portraits et oublie les exigences d'Alceste.

DOCUMENT 2

LE CARDINAL DE RETZ, *Mémoires* (1675-1679) ♦ partie II

Le Cardinal de Retz (1613-1679) rend compte, dans ses Mémoires, *de sa jeunesse et de son passé de frondeur, opposé au pouvoir royal. Il propose de nombreux portraits des Grands de son époque. M. de La Rochefoucauld est l'objet de ses railleries.*

Il y a toujours eu du je ne sais quoi[1] en tout M. de La Rochefoucauld. Il a voulu se mêler d'intrigue, dès son enfance, et dans un temps où il ne sentait pas les petits intérêts, qui n'ont jamais été son faible ; et où il ne connaissait pas les grands, qui, d'un autre sens, n'ont pas été son fort. Il n'a jamais été capable
5   d'aucune affaire, et je ne sais pourquoi ; car il avait des qualités qui eussent suppléé, en tout autre, celles qu'il n'avait pas. Sa vue n'était pas assez étendue,

---

1. Je ne sais quoi : quelque chose d'insaisissable.

et il ne voyait pas même tout ensemble ce qui était à sa portée ; mais son bon sens, et très bon dans la spéculation, joint à sa douceur, à son insinuation et à sa facilité de mœurs, qui est admirable, devrait récompenser plus qu'il n'a fait le défaut de sa pénétration[1]. Il a toujours eu une irrésolution habituelle ; mais je ne sais même à quoi attribuer cette irrésolution. Elle n'a pu venir en lui de la fécondité de son imagination, qui n'est rien moins que vive. Je ne la puis donner[2] à la stérilité de son jugement ; car, quoiqu'il ne l'ait pas exquis dans l'action, il a un bon fonds de raison. Nous voyons les effets de cette irrésolution, quoique nous n'en connaissions pas la cause. Il n'a jamais été guerrier, quoiqu'il fût très soldat. Il n'a jamais été, par lui-même, bon courtisan, quoiqu'il ait eu toujours bonne intention de l'être. Il n'a jamais été bon homme de parti, quoique toute sa vie il y ait été engagé. Cet air de honte et de timidité que vous lui voyez dans la vie civile s'était tourné, dans les affaires, en air d'apologie[3]. Il croyait toujours en avoir besoin, ce qui, joint à ses *Maximes*, qui ne marquent pas assez de foi en la vertu, et à sa pratique, qui a toujours été de chercher à sortir des affaires avec autant d'impatience qu'il y était entré, me fait conclure qu'il eût beaucoup mieux fait de se connaître et de se réduire à passer, comme il l'eût pu, pour le courtisan le plus poli qui eût paru dans son siècle.

DOCUMENT 3

JEAN DE LA BRUYÈRE, *Les Caractères* (1688) ♦ « De l'homme »

La Bruyère (1645-1696), dans Les Caractères, *décrit un certain nombre de types psychologiques, dont il dénonce les excès et les ridicules. Ménalque, par exemple, est un distrait, dont la maladresse prête essentiellement à rire.*

Ménalque descend son escalier, ouvre sa porte pour sortir, il la referme : il s'aperçoit qu'il est en bonnet de nuit ; et venant à mieux s'examiner, il se trouve rasé à moitié, il voit que son épée est mise du côté droit, que ses bas sont rabattus sur ses talons, et que sa chemise est par-dessus ses chausses. S'il marche dans les places, il se sent tout d'un coup rudement frapper à l'estomac ou au visage ; il ne soupçonne point ce que ce peut être, jusqu'à ce qu'ouvrant les yeux et se réveillant, il se trouve ou devant un limon[4] de charrette, ou derrière un long ais[5] de menuiserie que porte un ouvrier sur ses épaules. On l'a vu une fois heurter du front contre celui

---

1. **Défaut de sa pénétration** : absence de sagacité, manque d'intelligence.
2. **Donner** : attribuer.

3. **Air d'apologie** : air de se justifier.
4. **Limon** : pièce de bois.
5. **Ais** : planche ou poutre.

d'un aveugle, s'embarrasser dans ses jambes, et tomber avec lui chacun de son côté à la renverse. Il lui est arrivé plusieurs fois de se trouver tête pour tête à la rencontre d'un prince et sur son passage, se reconnaître à peine, et n'avoir que le loisir de se coller à un mur pour lui faire place. Il cherche, il brouille, il crie, il s'échauffe, il appelle ses valets l'un après l'autre : on lui perd tout, on lui égare tout ; il demande ses gants, qu'il a dans ses mains, semblable à cette femme qui prenait le temps de demander son masque lorsqu'elle l'avait sur son visage. Il entre à l'appartement, et passe sous un lustre où sa perruque s'accroche et demeure suspendue : tous les courtisans regardent et rient ; Ménalque regarde aussi et rit plus haut que les autres, il cherche des yeux dans toute l'assemblée où est celui qui montre ses oreilles, et à qui il manque une perruque. S'il va par la ville, après avoir fait quelque chemin, il se croit égaré, il s'émeut, et il demande où il est à des passants, qui lui disent précisément le nom de sa rue ; il entre ensuite dans sa maison, d'où il sort précipitamment, croyant qu'il s'est trompé. Il descend du Palais, et trouvant au bas du grand degré un carrosse qu'il prend pour le sien, il se met dedans : le cocher touche[1] et croit remener son maître dans sa maison ; Ménalque se jette hors de la portière, traverse la cour, monte l'escalier, parcourt l'antichambre, la chambre, le cabinet ; tout lui est familier, rien ne lui est nouveau ; il s'assit, il se repose, il est chez soi. Le maître arrive : celui-ci se lève pour le recevoir ; il le traite fort civilement, le prie de s'asseoir, et croit faire les honneurs de sa chambre ; il parle, il rêve, il reprend la parole : le maître de la maison s'ennuie, et demeure étonné ; Ménalque ne l'est pas moins, et ne dit pas ce qu'il en pense : il a affaire à un fâcheux, à un homme oisif, qui se retirera à la fin, il l'espère, et il prend patience : la nuit arrive qu'il est à peine détrompé.

DOCUMENT 4

NICOLAS BOILEAU, _Satire X_ (1694) ♦ « Sur les femmes »

_La_ Satire X _constitue un avertissement à un homme qui veut se marier. Boileau décrit les femmes comme infidèles, manipulatrices et dépensières. Il livre d'elles un portrait caricatural, inspiré par les préjugés misogynes traditionnels._

Mais que deviendras-tu, si, folle en son caprice,
N'aimant que le scandale et l'éclat dans le vice,

---

1. Le cocher touche : le cocher donne un léger coup sur le cheval pour le faire avancer.

166

Bien moins pour son plaisir, que pour t'inquiéter,
Au fond peu vicieuse elle aime à coqueter¹ ?
Entre nous, verras-tu, d'un esprit bien tranquille,
Chez ta femme aborder et la cour et la ville ?
Tout, hormis toi, chez toi, rencontre un doux accueil.
L'un est payé d'un mot, et l'autre d'un coup d'œil.
Ce n'est que pour toi seul qu'elle est fière et chagrine.
Aux autres elle est douce, agréable, badine :
C'est pour eux qu'elle étale et l'or, et le brocard² ;
Que chez toi se prodigue³ et le rouge et le fard,
Et qu'une main savante, avec tant d'artifice,
Bâtit de ses cheveux le galant édifice⁴.
Dans sa chambre, crois-moi, n'entre point tout le jour.
Si tu veux posséder ta Lucrèce⁵ à son tour,
Attends, discret mari, que la belle en cornette⁶
Le soir ait étalé son teint sur la toilette,
Et dans quatre mouchoirs, de sa beauté salis,
Envoie au blanchisseur ses roses et ses lys.
Alors, tu peux entrer : mais sage en sa présence
Ne va pas murmurer⁷ de sa folle dépense.
D'abord l'argent en main paye et vite et comptant.
Mais non, fais mine un peu d'en être mécontent,
Pour la voir aussitôt, sur ses deux pieds haussée,
Déplorer sa vertu si mal récompensée.
Un mari ne veut pas fournir à ses besoins !
Jamais femme après tout a-t-elle coûté moins ?
A cinq cents louis d'or, tout au plus, chaque année,
Sa dépense en habits n'est-elle pas bornée ?
Que répondre ? Je vois, qu'à de si justes cris,
Toi-même convaincu déjà tu t'attendris,
Tout prêt à la laisser, pourvu qu'elle s'apaise,
Dans ton coffre, à pleins sacs, puiser tout à son aise.

---

1. Coqueter : faire des coquetteries.
2. Brocard : riche étoffe.
3. Se prodigue : est dépensé.
4. Galant édifice : coiffure sophistiquée, destinée à séduire.

5. Lucrèce : femme romaine de l'Antiquité, réputée pour sa grande vertu.
6. Cornette : coiffure de femme.
7. Murmurer : te plaindre

DOCUMENT 5

SAINT-SIMON, *Mémoires* (1694-1749)

Pour le duc de Saint-Simon (1675-1755), les Mémoires *sont l'œuvre d'une vie. Il s'agit d'un tableau souvent désenchanté de la Cour dans les dernières années du règne de Louis XIV et dans les premières du règne de Louis XV. Saint-Simon dénonce les erreurs et la corruption de la noblesse. Mme de Maintenon, maîtresse puis épouse de Louis XIV, n'échappe pas à son regard critique.*

C'était une femme de beaucoup d'esprit, que les meilleures compagnies, où elle avait d'abord été soufferte[1] et dont bientôt elle fit le plaisir, avaient fort polie et ornée de la science du monde, et que la galanterie avait achevé de tourner au plus agréable. Ses divers états l'avaient rendue flatteuse,
5 insinuante, complaisante, cherchant toujours à plaire. Le besoin de l'intrigue, toutes celles qu'elle avait vues, en plus d'un genre, et de beaucoup desquelles elle avait été, tant pour elle-même que pour en servir d'autres, l'y avaient formée, et lui en avaient donné le goût, l'habitude et toutes les adresses. Une grâce incomparable à tout, un air d'aisance, et toutefois de retenue et de
10 respect, qui par sa longue bassesse lui était devenu naturel, aidaient merveilleusement ses talents, avec un langage doux, juste, en bons termes, et naturellement éloquent et court[2]. Son beau temps, car elle avait trois ou quatre ans de plus que le Roi, avait été celui des belles conversations, de la belle galanterie, en un mot de ce qu'on appelait les ruelles[3], et lui en avait
15 tellement donné l'esprit, qu'elle en retint toujours le goût et la plus forte teinture. Le précieux et le guindé ajouté à l'air de ce temps-là, qui en tenait un peu, s'était augmenté par le vernis de l'importance, et s'accrut depuis par celui de la dévotion, qui devint le caractère principal, et qui fit semblant d'absorber tout le reste ; il lui était capital pour se maintenir où il l'avait
20 portée, et ne le fut pas moins pour gouverner. Ce dernier point était son être ; tout le reste y fut sacrifié sans réserve. La droiture et la franchise étaient trop difficiles à accorder avec une telle vue, et avec une telle fortune ensuite, pour imaginer qu'elle en retînt plus que la parure[4].

---

1. **Soufferte :** tolérée.
2. **Court :** concis.
3. **Ruelles :** salons.
4. **Parure :** apparence.

DOCUMENT 6

JEAN-JACQUES ROUSSEAU, *Lettre à d'Alembert sur les Spectacles* (1758)

Dans cette lettre, Rousseau répond à D'Alembert (1717-1783), qui défend dans l'article « Genève » de L'Encyclopédie *l'idée d'ouvrir un théâtre à Genève. Le théâtre, en s'adressant davantage aux passions qu'à la raison, détournerait de la vertu. Le Misanthrope lui semble être l'exemple d'une pièce qui prétend instruire le spectateur, mais qui raille en réalité l'honnêteté à travers le personnage d'Alceste, dont le portrait satirique serait immoral.*

Vous ne sauriez me nier deux choses : l'une, qu'Alceste dans cette pièce est un homme droit, sincère, estimable, un véritable homme de bien ; l'autre, que l'auteur lui donne un personnage ridicule. C'en est assez, ce me semble, pour rendre Molière inexcusable. On pourrait dire qu'il a joué dans Alceste, non la vertu, mais un véritable défaut, qui est la haine des hommes. À cela je réponds qu'il n'est pas vrai qu'il ait donné cette haine à son personnage : il ne faut pas que ce nom de misanthrope en impose, comme si celui qui le porte était ennemi du genre humain. Une pareille haine ne serait pas un défaut, mais une dépravation de la nature et le plus grand de tous les vices. Le vrai misanthrope est un monstre. S'il pouvait exister, il ne ferait pas rire, il serait horreur. Vous pouvez avoir vu à la comédie italienne une pièce intitulée, *La Vie est un songe*. Si vous vous rappelez le héros de cette pièce, voilà le vrai misanthrope [1].

Qu'est-ce donc que le misanthrope de Molière ? Un homme de bien qui déteste les mœurs de son siècle et la méchanceté de ses contemporains ; qui, précisément parce qu'il aime ses semblables, hait en eux les maux qu'ils se font réciproquement et les vices dont ces maux sont l'ouvrage. S'il était moins touché des erreurs de l'humanité, moins indigné des iniquités qu'il voit, serait-il plus humain lui-même ? Autant vaudrait soutenir qu'un tendre père aime mieux les enfants d'autrui que les siens, parce qu'il s'irrite des fautes de ceux-ci, et ne dit jamais rien aux autres.

[...] On a peine à quitter cette admirable pièce, quand on a commencé de s'en occuper ; et, plus on y songe, plus on y découvre de nouvelles beautés. Mais enfin, puisqu'elle est sans contredit, de toutes les comédies de Molière, celle qui contient la meilleure et la plus saine morale, sur celle-là jugeons des autres ; et convenons que, l'intention de l'auteur étant de plaire à des esprits corrompus, ou sa morale porte au mal, ou le faux bien qu'elle prêche est plus dangereux que le mal même : en ce qu'il séduit par une apparence de raison : en ce qu'il fait

---

1. Allusion au personnage de Sigismond dans la pièce de Calderon *La Vie est un songe* (1635).

préférer l'usage et les maximes du monde à l'exacte probité : en ce qu'il fait
consister la sagesse dans un certain milieu entre le vice et la vertu : en ce qu'au
30   grand soulagement des spectateurs, il leur persuade que, pour être honnête
homme, il suffit de n'être pas un franc scélérat.

DOCUMENT 7

D'ALEMBERT, *Lettre de d'Alembert à Rousseau sur l'article « Genève »* (1759)

*Dans le texte suivant, d'Alembert réfute l'interprétation proposée par Rousseau
du* Misanthrope *de Molière.*

Mais je viens au misanthrope. Molière, selon vous, a eu dessein dans cette
comédie de rendre la vertu ridicule. Il me semble que le sujet et les détails de la
pièce, que le sentiment même qu'elle produit en nous, prouvent le contraire.
Molière a voulu nous apprendre, que l'esprit et la vertu ne suffisent pas pour la
5   société, si nous ne savons compatir aux faiblesses de nos semblables, et
supporter leurs vices même ; que les hommes sont encore plus bornés que
méchants, et qu'il faut les mépriser sans le leur dire. Quoique le misanthrope
divertisse les spectateurs, il n'est pas pour cela ridicule à leurs yeux : il n'est
personne au contraire qui ne l'estime, qui ne soit porté même à l'aimer et à le
10   plaindre. On rit de sa mauvaise humeur, comme de celle d'un enfant bien né
et de beaucoup d'esprit. La seule chose que j'oserais blâmer dans le rôle du
misanthrope, c'est qu'Alceste n'a pas toujours tort d'être en colère contre l'ami
raisonnable et philosophe, que Molière a voulu lui opposer comme un modèle
de la conduite qu'on doit tenir avec les hommes. Philinte m'a toujours paru,
15   non pas absolument comme vous le prétendez, un caractère odieux, mais un
caractère mal décidé, plein de sagesse dans ses maximes et de fausseté dans sa
conduite.

Le thème de la mélancolie : entre sagesse et folie

La mélancolie – du grec melas, *« noir », et* kholê, *« bile » –, qui aurait son siège dans la rate, est, avec la bile jaune ou colère, le sang et le phlegme, l'une des quatre humeurs qui définit le tempérament d'un individu. Le discours littéraire sur les humeurs est inspiré par la médecine et la philosophie grecques, en particulier par les écrits d'Hippocrate et par l'œuvre de Galien. La description qu'en donne ce dernier reste en effet quasiment incontestée jusqu'au XVIIIᵉ siècle. La maladie mélancolique est considérée comme le résultat d'un déséquilibre des humeurs, qu'il appartient au malade de rétablir, en particulier par un retour à une vie saine, contre ses supposés désordres antérieurs. Quelques écrivains revendiquent toutefois la mélancolie, comme le signe d'une lucidité supérieure et d'une mise à distance raisonnable de la corruption généralisée, comme si le spectacle du monde ne laissait pas d'autre choix que le désenchantement. Tel est également le point de vue d'Alceste. La littérature nous présente-t-elle la mélancolie comme une folie, ou au contraire comme un signe de sagesse ?*

DOCUMENT 1

ARISTOTE, *Problème XXX* ♦ traduction Jules Barthélémy Saint-Hilaire, Paris, Hachette, 1891.

Aristote, philosophe grec (384-322 av. J.-C.), dans son célèbre Problème XXX, *montre que la mélancolie n'est pas une maladie, mais qu'elle est une disposition naturelle de l'homme, qui est à mettre directement en relation avec le génie. Les héros, aussi bien que certains philosophes, étaient pour lui des tempéraments mélancoliques.*

Pourquoi tous les hommes qui se sont illustrés en philosophie, en politique, en poésie, dans les arts, étaient-ils bilieux, et bilieux à ce point de souffrir de maladies qui viennent de la bile noire, comme par exemple, on cite Hercule parmi les héros ? Il semble qu'en effet Hercule avait ce tempérament ; et c'est
5 aussi en songeant à lui que les Anciens ont appelé mal sacré les accès des épileptiques. Ce qui prouve cette disposition chez Hercule, c'est sa fureur contre ses propres enfants, et la violence avec laquelle il déchira ses plaies, avant

sa disparition sur l'Oéta[1]. Ce sont là des emportements que cause fréquemment la bile noire. Ce sont aussi des blessures de ce genre que se fit Lysandre, le
10 lacédémonien[2], avant de mourir. On en dit autant d'Ajax et de Bellérophon[3] ; l'un en devint tout à fait fou, et l'autre ne recherchait que les solitudes. Voilà comment Homère a pu dire de lui : « Comme il était en horreur à tous les Dieux, il parcourait seul les plaines de l'Alée, dévorant son propre cœur, et évitant la rencontre des humains. » Bon nombre de héros semblent avoir
15 souffert des mêmes affections que ceux-là. Parmi les modernes, Empédocle, Platon, Socrate[4] et une foule de personnages illustres en étaient là. Il en est de même de la plupart des poètes. C'est cette espèce de tempérament qui a causé les maladies réelles d'un certain nombre d'entre eux ; et chez les autres, leur disposition naturelle avait évidemment tendance à ces affections. C'était là,
20 ainsi qu'on vient de le dire, le tempérament particulier de tous ces personnages. [...] Pour nous résumer en quelques mots, nous dirons que les effets de la bile noire étant irréguliers, les mélancoliques le sont autant qu'elle ; car la bile peut être, ou très froide, ou très chaude. C'est ainsi qu'elle peut agir sur le moral, puisque, dans notre corps, il n'y a rien qui agisse autant sur le caractère que le
25 chaud et le froid. Elle transforme notre caractère, comme le vin, selon qu'il entre dans le corps en quantité plus ou moins grande. C'est que tous les deux, le vin et la bile noire, sont de l'air. Comme il se peut que la bile, tout irrégulière qu'elle est, s'équilibre, et qu'elle peut aussi rester irrégulière ou être saine à quelques égards ; comme elle peut encore, selon la condition
30 des choses, être tantôt plus chaude et ensuite plus froide, ou tout le contraire, les excès qu'elle offre font que tous les mélancoliques se distinguent des autres hommes, non pas à cause d'une maladie, mais à cause de leur nature originelle.

DOCUMENT 2

LA MOTHE LE VAYER, *La Prose chagrine* (1661) ♦ première partie (orthographe modernisée)

François de La Mothe Le Vayer (1588-1672) est l'un des représentants du « libertinage érudit », qui met en cause les certitudes philosophiques,

---

1. Oéta : sommet d'un massif montagneux en Grèce.	**3. Ajax et Bellérophon :** héros de la mythologie grecque.
2. Lysandre, le lacédémonien : commandant militaire spartiate.	**4. Empédocle, Platon, Socrate :** philosophes de l'Antiquité grecque.

morales et religieuses communément admises. La mélancolie est à l'origine de son regard critique sur le monde, inspiré par le doute sceptique [1].

Je ne saurais m'étonner qu'il se trouve tant de personnes naturellement portées à la solitude, et qui s'y plaisent encore plus que nos sangliers, ou que nos merles, s'il est vrai que ces deux animaux doivent leur nom à la vie solitaire. Orphée [2] préférant le silence des bois au bruit des villes, et la compagnie des bêtes sauvages à celle des hommes, fut sans doute porté d'une humeur que je ne puis désapprouver dans celle où je suis. En effet, le chagrin qui me possède présentement, m'envoie au cerveau des fumées si contraires à toute conversation, que pour aucunement les dissiper, nonobstant leur agrément qui me flatte, ou pour en quelque façon les évaporer au cas que leur charme soit si dangereux qu'on le dit, il faut que je m'en décharge sur ce papier. Pourquoi non ? Le loisir que la Cour me donne présentement, me fournit assez de temps pour cela, et il me semble même favoriser mon dessein. Ce sera un aparté du personnage que j'y joue. Et les *Soliloques* de saint Augustin [3] ne souffriront pas qu'on puisse nommer cet entretien particulier une pure extravagance.

DOCUMENT 3

MOLIÈRE, *Le Misanthrope* (1666) ♦ I, 1, v. 115 à 144

Dans l'exposition de la pièce, Molière fait dialoguer Philinte, le « raisonneur », avec Alceste, qui explique les raisons de sa misanthropie. Celle-ci est la conséquence de sa mélancolie, elle-même née du regard très critique qu'il porte sur le monde.

DOCUMENT 4

JACQUES DELILLE, *L'Imagination* (1806) ♦ chant III

Suite aux troubles révolutionnaires, le poète, Jacques Delille (1738-1813) émigre en Allemagne et en Angleterre. Il y découvre la sensibilité romantique. L'Imagination, *un recueil de huit chants, est l'occasion d'un éloge de la solitude et de la mélancolie.*

---

1. Doute sceptique : doute inspiré par le scepticisme, philosophie qui repose sur la mise en question des certitudes et qui peut même nier la possibilité humaine d'accéder à la vérité.

2. Orphée : héros de la mythologie grecque.
3. Saint Augustin : évêque d'Hippone (354-430), région du nord de l'Afrique.

Ô penchant plus flatteur, plus doux que la folie !
Bonheur des malheureux, tendre mélancolie.
Trouverais-je pour toi d'assez douces couleurs.
Que ton sourire me plaît, et que j'aime tes pleurs !
5   Que sous tes traits touchants la douleur a de charmes !
Dès que le désespoir peut retrouver des larmes,
À la mélancolie il vient les confier,
Pour adoucir sa peine, et non pour l'oublier.
C'est elle qui, bien mieux que la joie importune,
10 Au sortir des tourments accueille l'infortune ;
Qui, d'un air triste et doux vient sourire au malheur,
Assoupit les chagrins, émousse la douleur.
De la peine au bonheur délicate nuance,
Ce n'est point le plaisir, ce n'est plus la souffrance ;
15 La joie est loin encore, le désespoir a fui ;
Mais, fille du malheur, elle a des traits de lui.
Quels sont les lieux, les temps, les images chéries,
Où se plaisent le mieux ses douces rêveries ?
Ah ! le cœur le devine ; en son secret réduit
20 Elle évite la foule, et redoute le bruit ;
Sauvage et se cachant à la foule indiscrète,
Le demi-jour suffit à sa douce retraite ;
De loin, avec plaisir, elle écoute les vents,
Le murmure des mers, la chute des torrents ;
25 La forêt, le désert, voilà les lieux qu'elle aime.

DOCUMENT 5

CHARLES BAUDELAIRE, *Le Spleen de Paris* (1869) ♦ «Anywhere out of the world»

Le Spleen de Paris *de Baudelaire (1821-1867) est un recueil de proses poétiques.
Le poète y évoque son spleen, son humeur noire, dépressive, qui le conduit à
toujours désirer un ailleurs. Ce désir est toutefois condamné à l'échec : l'idéal n'est
pas de ce monde.*

    Anywhere out of the world
    N'importe où hors du monde

    Cette vie est un hôpital où chaque malade est possédé du désir de changer de
lit. Celui-ci voudrait souffrir en face du poêle, et celui-là croit qu'il guérirait à
côté de la fenêtre.

Il me semble que je serais toujours bien là où je ne suis pas, et cette question de déménagement en est une que je discute sans cesse avec mon âme.

« Dis-moi, mon âme, pauvre âme refroidie, que penserais-tu d'habiter Lisbonne[1] ? Il doit y faire chaud, et tu t'y ragaillardirais comme un lézard. Cette ville est au bord de l'eau ; on dit qu'elle est bâtie en marbre, et que le peuple y a une telle haine du végétal, qu'il arrache tous les arbres. Voilà un paysage selon ton goût ; un paysage fait avec la lumière et le minéral, et le liquide pour les réfléchir ! »

Mon âme ne répond pas.

« Puisque tu aimes tant le repos, avec le spectacle du mouvement, veux-tu venir habiter la Hollande, cette terre béatifiante[2] ? Peut-être te divertiras-tu dans cette contrée dont tu as souvent admiré l'image dans les musées. Que penserais-tu de Rotterdam[3], toi qui aimes les forêts de mâts, et les navires amarrés au pied des maisons ? »

Mon âme reste muette.

« Batavia[4] te sourirait peut-être davantage ? Nous y trouverions d'ailleurs l'esprit de l'Europe marié à la beauté tropicale. »

Pas un mot. – Mon âme serait-elle morte ?

« En es-tu donc venue à ce point d'engourdissement que tu ne te plaises que dans ton mal ? S'il en est ainsi, fuyons vers les pays qui sont les analogies de la Mort.

– Je tiens notre affaire, pauvre âme ! Nous ferons nos malles pour Tornéo[5]. Allons plus loin encore, à l'extrême bout de la Baltique ; encore plus loin de la vie, si c'est possible ; installons-nous au pôle. Là le soleil ne frise qu'obliquement la terre, et les lentes alternatives de la lumière et de la nuit suppriment la variété et augmentent la monotonie, cette moitié du néant. Là, nous pourrons prendre de longs bains de ténèbres, cependant que, pour nous divertir, les aurores boréales nous enverront de temps en temps leurs gerbes roses, comme des reflets d'un feu d'artifice de l'Enfer ! »

Enfin, mon âme fait explosion, et sagement elle me crie : « N'importe où ! n'importe où ! pourvu que ce soit hors de ce monde ! »

---

1. **Lisbonne :** capitale du Portugal.
2. **Béatifiante :** qui béatifie, qui place au rang des bienheureux.
3. **Rotterdam :** ville portuaire de Hollande.
4. **Batavia :** actuelle Jakarta, capitale de l'Indonésie.
5. **Tornéo :** Bornéo, île du sud-est asiatique.

DOCUMENT 6

EMIL CIORAN, *Précis de décomposition* (1949) ♦ © Éditions Gallimard

Le Précis de décomposition de Cioran (1911-1995) est un recueil de réflexions lucides et pessimistes. L'auteur y critique la misère de l'homme, condamné à vivre dans la peur, dans la soumission à ses besoins et à ses désirs.

Pour tenir l'esprit en éveil, il n'y a pas que le café, la maladie, l'insomnie ou l'obsession de la mort ; la misère y contribue en égale mesure sinon plus efficacement : la terreur du lendemain tout comme celle de l'éternité, les ennuis d'argent de même que les frayeurs métaphysiques, excluent le repos et
5 l'abandon. – Toutes nos humiliations viennent de ce que nous ne pouvons pas nous résoudre à mourir de faim. Cette lâcheté, nous la payons cher. Vivre en fonction des hommes, sans vocation de mendiant ! S'abaisser devant ces ouistitis vêtus, chanceux, infatués ! être à la merci de ces caricatures indignes du mépris ! C'est la honte de solliciter quoi que ce soit qui excite l'envie d'anéantir
10 cette planète, avec ses hiérarchies et les dégradations qu'elles comportent. La société n'est pas un mal, elle est un désastre : quel stupide miracle qu'on puisse y vivre ! Lorsqu'on la contemple, entre la rage et l'indifférence, il devient inexplicable que personne ait pu en démolir l'édifice, qu'il n'y ait pas eu jusqu'à présent des esprits de bien, désespérés et décents, pour la raser et en
15 effacer la trace.

DOCUMENT 7

PIETER BRUEGEL, *Le Misanthrope* (1568) voir image en 2ᵉ de couverture

Cette œuvre de Pieter Bruegel (1525 ?-1569), dit l'Ancien, met en scène un vieillard, le visage presque entièrement caché par un capuchon, et un enfant, qui semble tenter de lui voler sa bourse. On peut lire au bas du tableau l'inscription suivante : « Parce que le monde est si perfide/ Pour cela je vais dans le deuil. »

Argumenter pour dénoncer (xvıı^e-xvıı^e siècles)

| SUJET D'ÉCRIT 1 |

Objet d'étude : Genres et formes de l'argumentation

DOCUMENTS *(Les documents figurent dans l'ouvrage, p. 164-166, 169)*

• **MOLIÈRE, *Le Misanthrope*** (1666), acte II, scène 4 (v. 575-650) → DOC 1

• **JEAN DE LA BRUYÈRE, *Les Caractères*** (1688) → DOC 3

• **JEAN-JACQUES ROUSSEAU, *Lettre à d'Alembert sur les spectacles*** (1758) → DOC 6

QUESTIONS SUR LE CORPUS

1 En vous appuyant sur les documents présentés, vous montrerez que la satire a pour objectif de dénoncer les ridicules des hommes.

2 La satire est-elle toujours une arme morale contre les ridicules ? Justifiez votre réponse.

TRAVAUX D'ÉCRITURE

Commentaire (séries générales)

Vous ferez le commentaire du texte de Molière (document 1).

Commentaire (séries technologiques)

Vous ferez le commentaire du texte de Molière (document 1), en vous aidant des pistes de lecture suivantes :

– Vous analyserez le brio avec lequel Célimène s'adonne au jeu mondain des portraits. Dans quelle intention laisse-t-elle libre cours à son « humeur satirique » (*Le Misanthrope*, v. 661) ?

– Vous montrerez que cet extrait permet à Molière de dénoncer l'hypocrisie à l'œuvre dans la société, et en particulier à la Cour.

Dissertation

En vous appuyant sur les textes du corpus et sur votre culture personnelle, vous vous demanderez dans quelle mesure le rire permet de «corriger les vices des hommes» (Molière, *Tartuffe*, préface, 1669).

Écriture d'invention

Alceste voudrait interdire à Célimène d'user de son bel esprit pour faire rire aux dépens d'autrui. La jeune femme s'efforce de le convaincre qu'il s'agit d'un plaisir innocent et se moque de la sombre humeur du misanthrope. Vous rédigerez la scène dans laquelle ils échangent leurs arguments, en veillant à l'emploi du registre satirique, pour les propos de Célimène.

Pour vous aider à répondre

Le registre satirique est l'expression d'une critique violente et moqueuse des ridicules d'autrui. Dans le portrait, il repose sur un vocabulaire péjoratif, des formules ironiques, entre autres.

L'homme face au tragique de sa condition | SUJET D'ÉCRIT 2 |

Objet d'étude : La question de l'homme dans les genres de l'argumentation du XVIᵉ siècle à nos jours

DOCUMENTS *(Les documents figurent dans l'ouvrage, pp. 173-176)*

• **MOLIÈRE**, *Le Misanthrope* (1666), acte I, scène 1 (v. 115 à 144) → DOC 3

• **CHARLES BAUDELAIRE**, *Le Spleen de Paris*, «Anywhere out of the world» (1869) → DOC 5

• **EMIL CIORAN**, *Précis de décomposition* (1949) → DOC 6

QUESTIONS SUR LE CORPUS

1 En vous appuyant sur les documents présentés, vous montrerez que la mélancolie est le fruit d'un regard lucide sur le monde.

2 La mélancolie peut-elle néanmoins être considérée comme une forme de sagesse ? Justifiez votre réponse.

TRAVAUX D'ÉCRITURE

Commentaire (séries générales)

Vous ferez le commentaire du texte de Molière (document 1).

Commentaire (séries technologiques)

Vous ferez le commentaire du texte de Molière (document 1), en vous aidant des pistes de lecture suivantes :
– Vous montrerez que, dans cette scène d'exposition, Molière précise le portrait d'Alceste et nous révèle le regard sombre que ce personnage porte sur le monde.
– Vous analyserez la dimension comique de cette tirade : le personnage, par ses excès, ne nous est-il pas aussi présenté comme un extravagant ?

Dissertation

« Frappe-toi le cœur, c'est là qu'est le génie », affirmait Alfred de Musset (*Premières Poésies, À mon ami Édouard Boucher*, 1838). En vous appuyant sur les textes du corpus et sur votre culture personnelle, vous vous interrogerez sur l'importance de la mélancolie et de la souffrance dans la création littéraire.

Écriture d'invention

Alceste a mis sa menace à exécution : il a fui « dans un désert l'approche des humains » (*Le Misanthrope*, v. 144). Il écrit une lettre à Philinte pour justifier son choix et sa misanthropie. Vous écrirez cette lettre.

La jalousie d'Alceste | SUJET D'ORAL 1 |

- **MOLIÈRE**, *Le Misanthrope* (1666), acte IV, scène 3 → v. 1381-1435

QUESTION

Montrez de quelle manière s'exprime la jalousie d'Alceste dans cette scène.

Pour vous aider à répondre

a Montrez qu'Alceste utilise, pour exprimer sa jalousie, les accents de la tragédie.
b La jalousie excessive du personnage peut-elle néanmoins être considérée comme comique ?
c Alceste ne confond-il pas l'amour et le rapport de pouvoir ?

COMME À L'ENTRETIEN

1 Selon vous, Célimène est-elle vraiment une femme infidèle ? Justifiez votre réponse.

2 Dans la pièce, quelle vision Célimène a-t-elle du mariage ? Pouvez-vous citer au moins une jeune femme, dans une autre comédie de Molière, qui partagerait sa vision du mariage ?

3 *Le Misanthrope* nous montre-t-il un exemple d'amour heureux ? Expliquez et justifiez votre réponse.

4 Pour Alceste, l'amitié est-elle une relation plus satisfaisante que l'amour ? Justifiez votre réponse.

5 Alceste a certains points communs avec le personnage principal de *Dom Garcie de Navarre* (1661), une « comédie héroïque » de Molière, et en particulier sa jalousie. Vous vous demanderez dans quelle mesure Alceste peut, lui aussi, être considéré comme un personnage « héroïque ».

Le dénouement | SUJET D'ORAL 2 |

• **MOLIÈRE**, *Le Misanthrope* (1666), acte V, scène dernière → v. 1757 à la fin

QUESTION

Ce dénouement de comédie constitue-t-il vraiment une libération, suite à la tension dramatique des scènes précédentes ?

Pour vous aider à répondre

a Montrez que l'extrait permet d'obtenir un certain apaisement des conflits et une issue heureuse pour Philinte et Éliante.
b Montrez que ce dénouement est caractérisé par la persistance de l'inquiétude, voire par une certaine noirceur.
c Pourquoi Molière conclut-il la pièce par l'annonce du mariage entre Philinte et Éliante ? Ces personnages peuvent-ils nous montrer la voie de la sagesse ?

COMME À L'ENTRETIEN

1 Le spectateur peut-il vraiment espérer qu'Alceste renonce à son projet de quitter la société des hommes ? Vous montrerez que le misanthrope se demande sans cesse s'il doit rester ou partir, et qu'il ne parvient pas à prendre une décision.

2 Quel est le sens de cette retraite pour Alceste ? Pourquoi, selon vous, certains critiques en ont-ils fait l'un des signes de l'inspiration janséniste du personnage ?

3 Le dernier mot d'Alceste est « liberté » (v. 1806). En vous appuyant sur votre lecture de la pièce, vous vous demanderez si Molière considère, contrairement à Alceste, que la liberté dans le monde est possible.

4 Jacques Scherer, dans *La Dramaturgie classique en France*, énonce les règles du dénouement : il doit être, « dans la dramaturgie classique, nécessaire, complet et rapide[1]. » Le dénouement du *Misanthrope* vous semble-t-il correspondre à ces règles ?

5 En vous référant à d'autres dénouements que vous connaissez, montrez que la comédie se conclut parfois par l'exclusion d'un bouc émissaire[2]. Peut-on encore, dans ce cas, établir une différence essentielle entre comédie et tragédie ?

---

1. Jacques Scherer, *La Dramaturgie classique en France*, Nizet, 1986, p. 128. Un dénouement « nécessaire » exclut le hasard. Il s'inscrit logiquement dans la continuité du nœud de la pièce

2. Bouc émissaire : individu auquel on prête tous les torts.

CLASSIQUES & CIE

Conception graphique de la maquette : c-album, Jean-Baptiste Taisne, Rachel Pfleger (texte) ; Lauriane Tiberghien (dossier) • Mise en pages : Chesteroc Ltd • Suivi éditorial : Charlotte Monnier.

PAPIER À BASE DE FIBRES CERTIFIÉES

Hatier s'engage pour l'environnement en réduisant l'empreinte carbone de ses livres. Celle de cet exemplaire est de :

500 g éq. CO_2

Rendez-vous sur www.hatier-durable.fr

Achevé d'imprimer en Espagne par Black Print
Dépôt légal 95929-5/09 - Novembre 2020